KB103687

The Green Book

녹 색 서

The Green Book

무아마르 알 카다피 저

편집부 옮김

The Green Book

by Korean version

Publication of Korean in 2024

성공회대학교 김동춘 교수 추천사

필자는 1983년 석사과정 시절에 무아마르 알 카다피의 저서 『녹색서』(The Green Book) 번역에 참여했었습니다. 당시 대학원 선배의 제안으로 어떤 책인지도 잘 알지 못한 상태에서 아르바이트 목적으로 번역작업을 하여, 그 이후의 출간 과정에 관해서는 알지 못합니다. 나의 번역이 좀 서툴러서 다른 분이 손질했을 수도 있고, 다른 사람이 완전히 새롭게 번역했을 수도 있습니다. 애초에 한국어 판본에는 번역자가 누구인지 명시되어 있지 않습니다. 당시는 서슬 시퍼런 전두환 정권 시기였기에 출판사로서는 이런 '위험한' 책을 출간하는 일에도 상당한 용기가 필요했을 겁니다.

나는 이 책의 원서를 기억합니다. 번역하면서 읽었던 원문의 그 신선한 충격은 지금까지도 생생합니다. 전체적으로 허

풍과 과장이 심하다는 생각도 들었지만, 정말 만약에 이런 정치사회 모델을 이 지구상에서 실현할 수 있다면 그것이 유토피아가 아닐까, 라는 생각을 했었습니다.

카다피는 군 출신의 혁명가였습니다. 그는 혁명 후에도 사막의 천막에서 생활했기 때문에, 이런 사람이 진정한 혁명가가 아니겠느냐고 생각했었습니다. 당시 국내에 상영되어 관객들에게 큰 사랑을 받았던 영화 『사막의 라이온』의 리비아 혁명 이미지 때문인지, 나는 리비아라는 나라가 제3세계 후발국 중에서도 미국, 영국 등 강대국과 맞설 수 있었던 대단한 나라라고 생각했었습니다.

『녹색서』에서 이야기하는 것처럼, 당시 리비아에서 서구 대의민주주의의 한계를 뛰어넘는 직접민주주의가 실제로 작동하고 있었는지 궁금하기도 했으나 연구하진 못했습니다. 그리고 소련식 사회주의와는 다른 리비아식 사회주의 경제가 제대로 작동했었는지도 궁금했지만, 그에 관해서도 전혀 알 방법이 없었습니다.

단지 리비아의 직접민주주의론과 사회주의 이론은 산업화와 자본주의적인 생산 관계가 충분히 발전하지 않았고 제국주의의 침략과 지배를 받아온 제3세계 국가의 처지에 바탕을 둔 것이었기 때문에, 70년대 이후 종속이론의 영향과 광주 5·18민주화운동 이후 미국이 우방이라는 통설을 심각하게 회의하던 우리 세대로서는 이런 민족혁명의 차원에서 새로운 모델을 제시한 이 책이 신선하게 느껴진 것도 사실입니다.

과거 필자는 박정희 정권 18년을 거치고 나서도 전두환 군사독재 아래에서 살아가야 했던 한국의 처지를 생각하며, 대의제 민주주의라도 제대로 실현되면 정말 좋겠다고 생각했었습니다. 그래서 서구식 정당, 의회, 선거는 물론이고, 대의제 민주주의의 한계를 뛰어넘어 민주주의 일반의 대안을 제시하는 카다피의 급진적인 주장과 사회적인 것과 민족적인 것을 결합해 인류의 보편이론을 제시하는 이 책의 논리는 한국의 정치·경제 현실과는 어울리지 않아 보였습니다.

카다피는 사망했고 그의 혁명도 대체로 실패였다고 기록하는 오늘날, 다시 이 책을 읽어보니 이 책이 국내에 소개됐던 1980년대 초에는 잘 이해되지 않았던 내용이나 리비아의 특수한 역사적 맥락에서 나온 책의 독특한 주장들도 좀 더 분명하게 이해할 수 있었습니다.

중동 지역은 대부분이 부족, 종족을 단위로 오랜 세월 살아왔던 사람들이 제국주의의 침략을 받아서 근대 국가의 개념과 영토의 경계를 갖게 되었고, 제2차 세계대전 이후 제국주의가 남긴 이러한 인위적 경계와 분쟁, 그리고 독립과 국가 수립이라는 과제를 떠안게 되었습니다.

사실, 사회적인 것은 종족, 민족적인 것과 뗄 수 없습니다.

그래서 이 책 2부에서도 '국가'는 전혀 거론하지 않지만, 가족, 종족, 민족, 흑인, 소수민족을 언급합니다. 이런 점이 이 책의 특징이라고 할 수 있겠습니다. 그리고 대체로 2부 경제 문제의 해결은 내용이 소략하지만, 제3부 보편이론의 사회적 기반 부분은 내용이 길고, 특히 여성에 대해 매우 길게 서술한 점도 눈여겨볼 만합니다. 이슬람의 특수한 종교 문화적인 관점에서 여성 문제를 매우 자세하게 서술하고 있기 때문입니다. 하지만 지금의 관점에서는 도저히 받아들일 수 없는 내용인 것도 사실입니다.

어쨌든 제1부의 보편이론이 이 책의 가장 핵심적인 부분이고, 카다피가 혁명하게 된 명분과 대의를 가장 잘 집약하고 있습니다. 책은 전체적으로 사회주의와 직접민주주의의 이상을 내세우면서도 강한 반서구주의의 기조를 유지하고 있습니다. 오늘날 서구를 비롯한 세계의 모든 나라에서는 그 어느 때보다도 서구 선거 민주주의, 혹은 정당정치의 한계가 분명히 드러나고 있기에 그의 주장이 더 강하고 새롭게 다가옵니다. 그러나 자본주의가 발달한 나라의 계급, 이익집단, 정당, 의사결정, 언론, 시민사회 내부의 복잡성은 그가 생각했던 것보다 훨씬 복잡하기 때문에 이런 주장이 현실 정치에 그대로 적용되는 것은 불가능할 것입니다.

아마도 21세기의 한국 청년들이 이미 우리의 기억 속에서

거의 사라져간 이 리비아의 실험과 카다피의 주장에 관해 관심을 가지는 이유는 지금 사는 한국의 정치경제가 그들에게 희망을 주지 못하고 있기 때문은 아닐까 생각해 봅니다. 과거의 리비아 국민이 과연 카다피 혁명 이후 참된 자유를 누렸는지, 또는 참된 민주주의를 누렸는지를 따지기보다는 카다피가 제시한 주장과 대안을 신선하고 새로운 정치 모델들 중 하나로 받아들이면 어떨까 싶습니다.

지금의 청년들이 한국과 세계 각국의 민주주의가 처한 현실에 관해 더 많은 고민과 토론을 했으면 좋겠습니다. 청년 시절 한때 이런 새로운 사상을 담은 책과 씨름해본 필자는 이 책이 오늘날 기성세대와 청년세대 사이에서 대화와 소통을 유도하는 좋은 매개체가 되어줄 것이라 확신합니다.

불교인권위원장 진관 스님 헌시

리비아사막에 핀 꽃

리비아 사막에 핀 꽃
선인장을 바라보고 있으려니
내 가슴속에 피어오르는 꽃과 같구나

저렇게 아름다운 꽃이
모래밭에서 피어난다니
내 전생에 지운 인연의 꽃이라고
몇번이나 맹세를 하고 다짐을 하고

리비아사막에서 피어나는 꽃
선인장을 잊지못하리
아름다운 시여

내 마음속에 노랫소리
우리는 그날을 잊지 않으리
영원히 잊지 않으리

한국어판 출판에 붙여

『녹색서』(The Green Book)는 리비아의 통치자 무아마르 알 카다피의 정치철학을 담은 저서이다. 카다피는 본 저서에서 자마히리야(인민권력)을 주장했고 이를 국가 통치의 근간으로 삼았다. 그러나 2011년 리비아 내전으로 인해 카다피는 사망하였고 자마히리야는 폐지되었다.

하지만 『녹색서』는 1975년 처음 출간된 이래 36년간 국가 통치의 근간이 되었으니 읽어볼 가치가 있는 저서이다. 특히 리비아 내전 이후 리비아의 국가 상황이 날이 갈수록 악화되는 현시점에서 녹색서를 통해 과거를 복기하고 미래를 생각해 볼 수 있을 것이다. 비록 리비아 현실에 맞춰서 쓴 저서이므로 대한민국 현실에 맞지 않은 부분이 있지만 우리는 본 저서가 한국 독자들에게도 충분한 가치가 있다고 판단하여 출판 작업을 진행하였다.

『녹색서』는 아랍어로 처음 출판된 후 리비아 정부에 의해 영어본을 전 세계 독자들에게 제공하였다. 우리는 본 저서의 영어본을 번역하였으며 이 과정에서 성공회대학교 김동춘 교수의 한국어 번역본[1]을 참조하였다.

『녹색서』 한국어판 출판에 참여해 주신 모든 분에게 감사의 말씀을 드리며 추천사를 써주신 성공회대학교 김동춘 교수님과 헌시를 써주신 불교인권위원장이신 진관 스님께 특별한 감사의 말씀을 드린다. 아울러 본 저서가 한국 독자에게 자그마한 도움이 되길 기대한다.

---

1) © 1983 Morae-al. LLC, All rights reserved.

목 차

제 1 부

민주주의 문제의 해결
국민권력

통치기구

오늘날, 전 인류 최대의 정치적 문제는 '이상적인 통치기구를 어떻게 형성할 것인가?'이다. 이는 근대 사회가 형성되면서 더욱 중요한 문제가 되었으며 가족 내부의 갈등조차 흔히 여기에서 발생한다.

인류는 항상 위와 같은 문제에 직면할 수밖에 없으며, 모든 사회는 통치기구의 비민주성에서 발생하는 비참한 사태로 고통받고 있다. 아직도 이 문제는 최종적으로 그리고 민주적으로 해결되고 있지 않다. 그러나 『녹색서』는 통치기구의 문제에 대해서 궁극적인 해결책을 제시한다.

현대세계의 모든 정치제도는 서로 대립하는 통치기구 간 권력투쟁의 소산이다. 그 투쟁은 무력적인 형태를 띨 수도 있고 평화적인 형태를 띨 수도 있다. 또한 그것은 계급 간, 종파 간, 종족 간, 개인 간의 투쟁으로서 나타난다. 이 투쟁은 특정한 통치기구의 승리로 끝나며, 이는 국민의 패배와 참된 민주주의의 파괴를 의미하는 것이다.

예컨대 선거에서 특정 후보자가 51%의 표를 획득하여 정치투쟁에서 승리하여도 외양은 민주적이지만 본질은 독재적인 통치기구가 형성된다. 왜냐하면 투표자의 49%는 자신들이 지지하지 않았으나, 자신들에게 강요되는 통치기구의 지배를 받을 수밖에 없기 때문이다. 이것이야말로 명백한 독재가 아니고 무엇인가? 또한 이 정치투쟁에서 소수파의 통치기구가 승리할 수도 있다. 여러 후보자에게 표가 분산되면 상대적으로 가장 많은 득표를 한 후보자가 당선하게 되지만, 낙선자의 득표를 합하면 절반을 훨씬 넘을 수 있기 때문이다. 결국 낙선자 득표수의 총합보다 적은 득표를 한 후보자가 합법적이고 민주적으로 당선되었다고 간주하는 것으로 이는 민주주의의 탈을 쓰고 실질적으로는 독재가 형성되는 것이다. 이것이 오늘날 지구상에 존재하는 모든 정치제도의 실상이다.

의회

오늘날에도 전통적 민주주의의 전형적 형태인 의회제도는 의연하게 존재하고 있다. 의회는 국민에 대한 허구적인 대표기구이며 의회제도는 민주주의 문제에 대한 그릇된 해결책이다. 원래 의회는 국민을 대표하기 위해 형성된 것이지만 이 원칙 자체가 비민주적이다. 민주주의란 국민의 권력인 국민주권을 의미하는 것이지 국민의 대표가 국민을 대신해서 권력을 행사하는 것을 의미하진 않기 때문이다. 단지 의회만 존재하는 것은 국민의 부재를 의미한다. 참된 민주주의는 국민의 대표에 의해 형성되는 것이 아니라 국민의 직접적인 참여를 통해서만 가능하다. 그러나 국민은 정치로부터 소외되었고 대표기구인 의회가 국민의 주권을 횡령하는 등 의회는 국민이 절대권을 행사하지 못하도록 한 합법적인 장벽이 되었다. 국민의 손에 남아 있는 것은 외관만 있는 기만적인 민주주의이며 그것은 가끔 투표함에 한 표를 던지기 위한 기다란 행렬의 형태로 나타난다.

우리는 의회의 본질을 알기 위해서 그 기원을 고찰해야 할 것이다. 의회의 구성원은 단일이나 복수의 정당을 통해 선거구에서 선거 혹은 임명을 통해 선출된다. 이러한 선출 방법은 비민주주의적이다. 주민을 선거구에 의해서 나누는 것은 한 명의 의원이 몇천 명, 몇십만 명, 때로는 몇백만의 주민을 대표한다는 것을 의미한다. 또한 의원은 전 국민의 대표자로서 간주하기 때문에, 선거구의 투표자들과 조직적인 유대를 가질 수 없다. 전통적 민주주의는 이러한 전제 위에 서 있는 것이다. 따라서 대중은 대표자와 완전히 격리되어 있으며 대표자도 역시 대중과 철저히 분리되어 있다. 일단 대중의 표를 획득하면, 대표자들은 대중의 주권을 탈취하고 대신 행사하게 된다. 현대 사회에 존재하는 전통적 민주주의는 국민에게는 전혀 부여되어 있지 않은 신성한 권리와 면책특권을 의원에게 부여하고 있다. 즉 의회는 국민의 권력을 탈취하고 횡령하기 위한 도구이다. 그러므로 국민은 대중적 혁명을 통해 민주주의와 주권을 빼앗아 간 의회제도를 파괴해야만 한다.

이처럼 국민은 '국민의 대표란 있을 수 없다'라는 새로운 원칙을 내세우며 투쟁할 권리를 갖는다. 만약 어느 정당이 선거에서 승리하여 의회를 지배한다면, 의회는 한 정당의 의회이지 국민의 의회가 아니며 한 정당을 대표하는 것이지 국민을 대표하는 것은 아니다. 고로 의회가 위탁하는 행정 권력은 그 정당의 것이지 국민의 것은 아니다. 또한 여러 정당이 의석을 나눠 가지고 있어도 의원들은 각자 자신의 정당을 대표하는 것이지, 국민을 대표하는 것은 아니다. 이와 같은 정당 연합이 행사하는 권력은 연합된 정당의 권력이며 국민의 권력은 아니다. 이러한 제도하에서는 국민은 단순한 획득의 대상물로 간주하며 권력을 둘러싸고 서로 대립하는 통치기구의 표밭으로 이용될 따름이다. 고로 국민은 묵묵히 길게 줄을 서서 쓰레기통에 휴지를 버리듯이 투표함에 한 표를 던지는 것이다. 이것이 일당제, 양당제 또는 다당제의 형태로 현 세계에 널리 존재하는 전통적 민주주의의 본질인 것이다.

이처럼 대표제도는 협잡물에 지나지 않는 것이다. 임명이나 세습으로 형성된 의회는 결코 민주주의의 범주에 들어갈 수 없으며, 선거에 의한 의회의 경우조차도 득표를 위한 선동정치라고 말하지 않을 수 없다. 선거에서는 돈에 의한 매수와 부정한 조작이 득표에 있어 커다란 효력을 갖기 때문에 오직 부자만이 승리를 거둘 수 있고 가난한 사람은 패배할 수밖에 없다.

국민이 의식 없는 양처럼 군주와 정복자에 의해 다루어지던 시대의 철학자, 사상가, 저술가들이 대표제를 창출했다. 당시의 국민이 품었던 최대의 열망은 지배자들 앞에 자신들의 대표를 보내는 것이었으나 지배자들은 그러한 열망조차도 억누르고 말았다. 국민은 자신의 희망을 실현하기 위해 장기간의 혹독한 투쟁을 경험해야만 했다. 이미 공화국의 시대가 도래하여 국민의 시대가 시작되고 있는 오늘날에 '민주주의는 거대한 국민의 권리를 대행하는 소수 대표자 집단의 선출행위'라고 주장하는 것은 부당하고 진부하기 짝이 없는 이론이며, 구시대의 경험에 불과한 것이다. 모든 권력은 국민 자신의 것이어야 하는 것이다. 그러므로 사상 최악의 독재제도가 의회제도이다.

정당

정당은 현대의 독재적 통치기구이다. 부분이 전체를 지배하는 조직으로 새로운 독재적 통치기구이다. 정당은 의회, 공동체, 당원의 선전을 통해 거짓된 민주주의를 실현한다. 정당은 같은 이해, 견해, 문화를 갖는 사람들이거나 지연(地緣)적인 유대를 갖는 사람들 또는 신조를 같이하는 사람들로만 구성되기 때문에 결코 민주적인 통치기구가 아니다. 그러한 사람들이 정당을 조직하는 것은 자신의 목적을 달성하고, 사회 전체에 대해서 자신들의 견해와 신념을 강요하기 위한 것이며, 또한 자신들의 정치강령을 실현한다는 핑계로 권력을 행사하기 위한 것이다. 정당의 다양한 이해, 사상, 기질, 향토 의식, 신조를 지닌 국민의 총체를 일괄해서 지배한다는 것은 민주주의에 부합하지 않는다.

선거에서 승리를 얻은 정당에 있어서 의회란, 문자 그대로 그 정당을 위한 의회이며, 의회가 위탁하는 행정 권력은 그 정당이 국민을 지배하기 위한 행정 권력이다. 이처럼 본래 전 국민의 이익을 위해야 할 정당의 권력이 실제로는 모든 야당과 그 지지자들을 비롯한 나머지 국민의 적이 되어 버린다. 그 결과 야당 세력도 국민의 관점에서 여당을 제약하는 역할을 하기는커녕, 여당을 대신해서 권력을 획득할 기회만을 호시탐탐 노리게 된다. 근대 민주주의의 이론에 의하면 의회만이 여당의 횡포를 합법적으로 제약할 수 있는 기능을 담당할 수 있다고 한다. 하지만 의회의 다수파가 여당에 속하고 있을 때 제약 능력을 장악하고 있는 것은 여당이며, 그러한 제약 능력을 갖춘 정당이 권력을 장악하는 상황이 발생하는 것이다. 따라서 현대 사회에 있어서 지배적인 정치 원리, 바꿔 말하면 오늘날 널리 존재하는 전통적 민주주의가 서 있는 기반으로서의 정치 원리가 얼마나 기만적이고 오류에 차 있는지 명확해진다.

정당은 국민을 나눠서 어느 부분만을 대표한다. 그러나 국민의 주권은 나눌 수 없다. 또한, 정당은 국민을 대표한다고 자칭하면서 통치한다. 그러나 실은 국민의 대표라는 것은 있을 수 없다.

정당은 현대의 종족 제도이며 종파 제도이다. 일당 지배하의 사회는 하나의 종족 또는 일종 파에 의해 지배되는 사회와 완전히 같다. 이미 말한 것처럼 정당은 어느 특정 집단의 견해, 집단적 이익, 신조, 향토 의식 등을 반영하고 있다. 따라서 정당은 전 국민에 비해서 종족, 종파의 경우와 똑같이 소수에 지나지 않는 것이다. 이 소수 부분은 공통의 이해와 신조를 하고 있으며, 거기에서 특정한 견해가 형성되는 것이다. 종족은 그것이 오로지 혈연관계만을 기축으로 한다는 면에 있어서 정당과는 성격이 다르지만, 정당결성에 있어서 혈연관계가 개재(介在)되는 예도 있다. 권력을 둘러싼 정당 간의 투쟁과 종족 혹은 종파에 기초하는 제도가 정치적으로 폐지되어야 한다면, 정당제도 역시 없애지 않으면 안 된다. 두 가지 모두 같은 길을 걷고 있고 같은 결과를 초래하는 것이며, 정당 간의 투쟁이 사회에 미치는 부정적 · 파괴적 영향은 종족 간 및 종파 간의 투쟁과 똑같다.

계급

정당 투쟁 때문에 분열된 사회는 종족 및 종파 간의 대립 때문에 분열된 사회와 똑같다. 어떤 특정 계급의 이름 아래 형성된 정당은 그 자신이 그 계급을 대신하게 되고, 드디어는 적대계급의 후계자로 되는 것이다. 이는 프롤레타리아의 이익을 내세운 공산당이 프롤레타리아에 대립하는 또 하나의 계급이 된 것을 통해 알 수 있다.

어느 한 사회를 계승하는 계급은 그 사회의 특징도 동시에 계승한다. 예를 들어, 노동자계급이 다른 모든 계급을 타파해서 사회의 상속인이 되었을 경우, 계승한 사회의 모든 특징을 그대로 나타내고 있다는 것이 당장 명백하게 드러나지는 않더라도 시간이 흘러감에 따라 명백해지는 것이다. 이미 배제된 다른 모든 계급의 특징이 노동자계급 내에서 시간이 지남에 따라 명확히 나타나게 된다. 공통의 특징을 갖는 모든 세력은 그 특징에 부합하는 행동과 관점을 취한다. 이처럼 노동자계급은 구사회가 내포하고 있었던 것과 똑같은 모순을 재생산해서, 분열된 사회를 재생산하는 것이다. 먼저 사회를 구성하는 개개인의 물질적 및 정신적 수준이 다양화되어 여러 당파가 생기고, 다시 이들 당파는 이미 소멸한 여러 계급에 유사한 것이 된다. 사회의 지배권을 둘러싼 투쟁이 재개되는 것이다. 처음에는 여러 집단이, 다음에는 여러 당파가, 마지막에는 여러 계급이 각각 통치기구의 담당자가 되려고 서로 투쟁하는 것이다.

사회의 물질적 기초란 그것 자체가 안정된 것은 아니다. 왜냐하면, 물질적 소유에 따른 계급이라 할 수 있는 물질적 기초 그 자체가 사회적 성격을 지니고 있기 때문이다. 사회의 물질적 기초 중 하나에 기반한 통치기구는 일시적으로는 안정될지도 모른다. 그러나 그 동질적인 물질적 기초 내부에서 새로운 사회적, 물질적 기초가 생기기 시작하면, 그 통치기구는 불안해질 것이다. 계급 대립을 포함하는 사회는 처음에는 단일계급으로 이루어진 사회였지만, 그 계급으로부터 불가피하게 서로 대립하는 여러 계급이 생겼다. 고로 다른 계급의 재산을 탈취하여, 자신의 계급적 이해를 위한 통치기구의 유지를 위해 이 재산을 이용하려는 계급은 자기 내부의 물질적 소유의 격차 때문에 여러 계급으로 나누어질 것이다.

이러한 까닭으로 통치의 문제 해결 혹은 정당, 계급, 종파, 종족 간의 이해대립을 해소하기 위해, 사회의 물질적 기초를 일원화하려는 기도는 처음부터 실패할 수밖에 없다. 그것은 대표의 선출로 대중을 만족시키려 하고 국민투표를 통해 대중의 의사를 표명하려고 하는 기도가 실패할 수밖에 없다는 원리와 똑같다. 결국 이러한 기도를 반복하는 것은 시간 낭비이며 국민에 대한 우롱 행위이다.

국민투표

국민투표는 민주주의에 대한 사기이다. '찬성'이라고 하는 자도 '반대'라고 하는 자도 실제로는 자신의 의사를 표명한 것은 아니다. 그들은 근대 민주주의의 이름 아래 침묵을 강요당하고 있다. 그들은 '찬성'이나 '반대' 중 한마디만을 말할 수 있을 뿐이며 이는 가장 억압적이며 독재적인 제도이다. '반대'라고 답하는 자는 왜 '반대'라고 하는지 그 이유를 명확히 할 수 있어야 하며 '찬성'이라고 답하는 자는 왜 '찬성'이라고 하는지 그 이유를 명확히 할 수 있어야 한다. 모든 사람은 그가 원하는 바를 명확히 표명해야 하고 그 자신의 '찬성'이나 '반대'에 대한 이유를 명확히 해야 한다.

그러면 인류는 독재와 전제로부터 어떻게 해방될 수 있는가? 민주주의를 둘러싼 복잡한 문제란 통치기구의 문제이며,

계급투쟁과 정당 간, 개인 간의 항쟁도 이 문제로 인한 것이다. 또한, 선거와 국민투표는 계급, 정당, 개인의 독재성을 은폐하기 위해 고안된 것이다. 이에 인류는 사회의 일부만을 대표하면서 사실상 사회를 지배하는 계급, 정당, 종족, 개인 이외의 통치기구, 즉 새로운 통치기구를 발견해야 한다. 그 통치기구는 정당, 계급, 종파, 종족이 아니라 국민이 담당자가 되는 통치기구이어야 한다. 그것은 국민의 대표이어서는 안되며, 국민을 대변하는 것이어서도 안 된다. 그러므로 국민의 대표란 것이 있을 수 없고 대표제는 사기에 불과하다.

위에서 말한 새로운 통치기구가 발견된다면 문제는 해결될 것이다. 국민의 민주주의는 실현되고, 전제정치와 독재체제는 근절되고, 국민이 권력을 갖게 될 것이다. 본 저서는 정치기구의 문제에 대한 해결책을 제시한다. 그것은 국민에게 독재체제의 시대에서 참된 민주주의의 시대로 이행하는 길을 보여준다.

이 새로운 이론은 대표제도, 대의제도 인정하지 않는 국민의 권력을 토대로 한, 명쾌하고 실제적인 직접민주주의를 실현하는 것이다. 종래의 직접민주주의 이론은 실제로 적용하는 것이 곤란하고 또한 저변의 국민을 조직화하는 노력이 빠져있기 때문에 천박하기 짝이 없는 이론인 것에 비해, 이 새로운 이론은 종래의 낡은 시도와는 전혀 다르다.

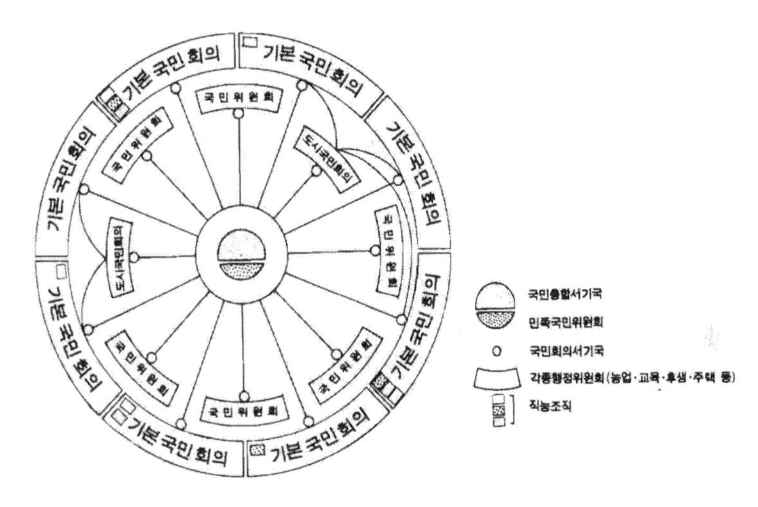

▲ 국민권력의 기구 예시[2]

---

2) 일반적으로 공개된 예시 자료 참조

국민회의와 국민위원회

여러 단계에서 국민회의를 수립하는 것이 대중민주주의를 달성하는 유일한 수단이다. 국민회의 이외의 어떠한 통치기구도 비민주주의적이다. 세계의 현존하는 통치기구는 이 방식을 채택하지 않는 한 비민주주의적이다. 국민회의와 국민위원회는 결코 상상의 산물이 아니다. 그것은 인류가 민주주의 달성을 위해 축적해 온 노력의 총체를 흡수한 것이며, 인류적 영지의 결정이다.

직접민주주의는 만약 실현될 경우, 이상적인 형태이다. 그러나 수의 다소와 관계없이 전 국민을 한 장소에 모이게 하여 그들에게 정책을 토의 검토시켜서 결정시킨다는 것은 불가능하므로 여러 민족은 직접민주주의의 방식을 취하는 것을 포기해 왔다.

이제까지 직접민주주의는 현실성이 없고 있는 유토피아적 발상에 지나지 않았다. 그 때문에 사람들은 직접민주주의를 대치하여, 대의제에 기초한 의회, 정당, 정당 연합 그리고 국민투표제와 같은 통치이론을 제시해 왔다. 직접민주주의라는 이념은 이제까지 적용은 곤란했을지라도 가장 이상적인 제도라는 것은 부정할 수가 없다. 이 제3의 보편이론은 직접민주주의를 실현할 수 있는 실제적인 길을 보여주는 것이며, 세계의 민주주의 문제는 최종적으로 해결이 된 것이다. 대중의 긴급한 과제는 민주주의를 기만적으로 참칭하면서 현대세계를 지배하고 있는 모든 형태의 독재를 폐지하는 것이다. 민주주의에는 하나의 방법과 하나의 이론이 있을 뿐이다. 민주주의를 자칭하는 체제 사이에 여러 가지 차이가 존재하는 것은 이들 제제는 민주주의가 아니라는 것이다. 국민의 권력은 보편적 내용을 갖는 것이지만 그것은 국민회의와 국민위원회의 방식을 유일의 수단으로 해서 실현되는 것이다. 국민회의와 각지에 존재하는 국민위원회가 없다면, 민주주의는 존재할 수 없다.

먼저, 국민은 기본국민회의로 나누어져서 조직된다. 각 국민회의는 각각의 서기를 선출한다. 이 서기들이 모여서 기본국민회의를 제외한 여러 단계의 국민회의를 구성한다. 다음에 각각의 기본국민회의에 결집하는 대중은 국민위원회를 선출하고, 이것이 행정을 맡는다. 모든 공공사업은 국민위원회에 의해서 운영된다. 국민위원회는 기본국민회의에 대해서 책임지고, 기본국민회의는 국민위원회에 대해서 그것이 수행해야 할 정책을 정하고, 그 시행 과정을 감독한다. 이처럼 행정, 감독의 양면이 국민적으로 운영되는 것이다. "민주주의란 국민이 정부를 통제하는 것이다"라는 시대에 뒤떨어진 인식에 마침표가 찍히고 "민주주의란 국민이 자신을 스스로 통제하는 것이다"라는 올바른 인식으로 대치되는 것이다.

국민회의의 구성원인 모든 시민은 기본국민회의와 국민위원회의 구성원이며, 혹은 이것들의 서기가 되기도 하지만, 동시에 그들은 직업 · 직종에 따라서 어떠한 카테고리에 속하고 있기 때문에 각각 독자적인 조합과 직능조직을 결성하지 않으면 안 된다. 국민회의와 국민위원회가 그리고 조합과 직능조직이 토의한 의제들은 국민회의, 국민위원회, 조합, 직능조직, 각각의 서기가 모이는 국민총회에서 최종적으로 결정된다. 매년 한 번씩 정기적으로 개최되는 이 국민총회에서 토의된 의제는 또 한 번 각각의 국민회의, 국민위원회, 조합, 직능조직에 회부되고, 기본국민회의에 대해 책임지는 국민위원회가 비로소 집행에 들어가는 것이다. 국민총회는 의원과 방청인으로서의 일반인으로 구성되는 종래의 의회와 같은 집회는 아니고, 기본국민회의와 국민위원회, 조합, 기능 공직, 그 외의 모든 직업단체의 결집체이다.

이처럼, 통치기구의 문제는 실질적으로 해결되고 독재는 소멸한다. 국민 자신이 통치기구의 주체이며, 현대세계의 민주주의의 문제는 완전히 해결되는 것이다.

사회의 법

법은 통치기구의 문제와 더불어 가장 중요한 문제 중의 하나이다. 그것은 역사상의 한 시기에 해결을 보았음에도 불구하고 근대에 이르러 다시 해결이 기대되는 문제가 되었다.

사회의 법을 제정하는 권한을 위원회와 의회에 위탁하는 것도, 혹은 개인과 의회가 그것을 개정하고 폐기하는 것도 부당하고 비민주적이다. 그렇다면 사회의 법이란 도대체 무엇이며 누가 그것을 제정하는가? 법은 민주주의에서 얼마나 중요성이 있는 것인가?

어떠한 사회에 있어서도 근원적인 법은 관습 혹은 종교이며, 관습과 종교라는 2개의 근원을 떠나서 제정된 법은 모두 무효이자 비논리적이다. 헌법은 사회의 법이 아니고 인위적인 법률이며, 그것이 정당한 것으로 되려면 적합한 토대에 근거를 두지 않으면 안 된다. 그러나 헌법이 사회의 법이 되고 말았다는 점과 헌법이 세계에 횡행하는 독재적 통치기구를 지지하기 위해서 작용하고 있다는 사실 때문에 근대에 다시 자유의 문제가 대두되는 것이다. 이것은 인간이 누리는 자유의 내용은 하나인 데 반해, 각양각색의 헌법이 존재한다는 사실에서도 명백하다.

헌법이 다양한 것은 통치기구의 입장이 다양하기 때문이다. 그 때문에 현대의 여러 제도 아래에서 자유는 손상되기 쉬운 것이다. 헌법은 통치기구의 성격과 견해를 나타냄과 동시에 각각의 헌법 속에는 통치기구가 국민을 지배하는 방법이 규정되어 있으며, 또한 헌법에서 파생된 여러 법률은 국민에게 지배자에 대한 복종을 강제하는 것이다.

독재적 통치기구의 법이 자연법을 대체하고 말았다. 인위법이 자연법을 몰아내서 법의 규범은 상실되고 만 것이다. 신체구조 혹은 본능의 면에서도 인간은 모두 같으므로 어느 곳에서도 동질적인 존재이며, 이러한 동질하고 동등한 인간에게 있어서는 자연법이 이치에 맞는 법인 것이다. 그런데 인위적인 법인 헌법은 인간을 동질하고 동등하게 보지 않게 되었다. 그것은 통치기구가 국민을 지배하려고 하는 의지의 표현이 헌법이기 때문이다. 역사적으로 명백한 것처럼 보통 통치기구가 바뀌면 헌법도 또한 바뀐다. 이것은 헌법이 통치기구의 이익을 위한 것임을 보여줌으로써 통치기구의 소산이라는 점과 헌법 그 자체가 결코 자연의 법이 아니라는 증거이다.

인류사회의 참된 법이 상실되고, 국민 지배를 목적으로 하는 통치기구의 의지에 봉사하는 인위적 법이 그것을 대체한 곳에서는 자유가 위협받고 손상되는 절박한 위기가 생긴다. 통치기구는 본래 사회의 법을 따라야 하며 그 반대로 되어서는 안 된다.

사회의 법은 제정되고 성문화될 수 있는 것은 아니다. 법의 존재의의는 그것이 진실과 허위, 정의와 부정, 개인의 권리와 의무를 판정하는 결정적인 기준이란 점에 있다. 안정된 원리 위에 따라, 통치기구의 변질과 교체에 영향을 받지 않는 신성한 법이 결여된 사회에서 자유는 위기에 직면하는 것이다. 본래 통치기구가 사회의 법을 따라야 함에도 현대세계의 국민은 통치기구 상호 간의 권력투쟁 전개 속에서 자주 변경되고 폐지되는 불안정한 인위법의 지배 아래 놓인다. 헌법의 찬반을 묻는 국민투표가 정당한 근거를 갖는다고 말할 수 없는 것은 찬성 혹은 반대밖에 답할 수 없는 국민투표 자체가 민주주의를 기만하기 때문이다. 그 외에 인위적인 법률에 따라서 국민은 헌법의 찬반을 묻는 국민투표에의 참여를 강제당하고 있다. 국민투표에 의해 결정된 것이라고 해서 헌법을 사회의 법이라고 주장하는 것은 부당하다. 그것은 국민투표의 대상물에 지나지 않는, 단순한 헌법에 지나지 않는 것이다. 그러므로 사회의 법은 인류가 궁극적으로 계승하는 유산이며 현재 살아있는 자의 것만은 아니다. 이처럼 헌법제정과 국민투표는 일종의 사기극에 불과하다.

인위적인 헌법에서 파생된 여러 인위적인 법률은 인간에 대한 육체적 형벌로 가득 차 있다. 관습법에는 이러한 형벌이 거의 포함되어 있지 않다. 관습법이 부과하는 것은 인간에게 적절한 도덕적인 벌칙이며 형벌은 아니다. 종교는 관습을 포함하고, 흡수하는 것이다. 종교가 정하고 있는 벌칙의 대부분은 실제로 집행되는 것은 아니다. 그 집행은 세계의 종말까지 연기되는 것이다. 벌칙의 주목적은 문제에 직면했을 때의 훈계, 지시, 해답을 주는 것이며, 그것은 인간 존중의 태도를 보여주는 것이다. 종교는 사회를 보호하기 위해 고려할 여지가 없는 극단적인 경우를 제외하고는 육체적 형벌을 인정하지 않는다.

종교는 국민의 자연적인 생활의 표출이다. 종교는 관습을 포함하는 것이며, 자연의 법에 대해서 긍정적이다. 비종교적 · 비관습적인 법은 인간이 인간에 대해서 적대적으로 만들기 때문에, 관습과 종교라는 자연의 근원에 기초하지 않는 법은 부당하다.

누가 사회의 행동을 통제할 것인가?

사회가 법을 벗어날 때, 도대체 누가 그것을 통제할 것인가? 민주주의의 처지에서 본다면 사회를 대표하여 사회를 통제할 수 있는 권한을 가진 존재란 있을 수 없다. 사회가 자신의 통제자이다. 개인과 단체 그 어느 쪽이든 자신이 사법권을 가지고 있다고 주장할 때 그것은 명백히 독재이다. 왜냐하면, 민주주의는 사회 전체가 자신에 대한 책임을 스스로 지는 것이다. 따라서 사회 전체가 자신을 통제해야만 하는 것이 옳고 이것에 의해 비로소 민주주의는 성취되는 것이다. 그러면 사회의 자기통제는 어떻게 실현되는 것인가? 먼저 사회가 자신을 기본국민회의로 조직하고 나서 국민위원회 그리고 국민총회(민족회의)가 형성되는 것에 의해 국민의 권력이 수립되어야 한다. 이처럼 민주주의적 통치기구가 탄생하는 것을 통해서야 비로소 사회의 자기통제(자기관리)는 실현되는 것이다.

국민총회에서는 국민회의, 국민위원회, 조합, 직능조직 및 다른 직업단체가 모두 모인다. 이 원리에 의하면 국민이 통치기구 그 자체가 되는 것이며, 이 상태가 달성되어야 비로소 국민은 자기를 통제 또는 관리할 수 있게 되는 것이다. 여기에서 비로소 사회 스스로가 사회의 법을 관리하는 것이 가능하게 된다.

사회가 법을 벗어났을 때 어떻게 시정할 것인가?

현존하는 대부분의 통치기구가 독재적이기 때문에 사회가 법을 벗어났다고 느끼고 있을지라도 그 벗어남을 시정하는 방법은 폭력밖에 없고 통치기구를 타도하기 위한 혁명에 호소할 수밖에 없다. 그러나 법을 벗어난 사회를 제지하고 싶다는 바램에서 행해진 것이라 해도, 이 경우의 폭력과 혁명은 결코 사회 전체에 의해서 실현되는 것은 아니다. 스스로 사회 의사의 체현자(體現者)라고 생각하고 행동하는 대담한 집단이 이 폭력과 혁명의 담당자가 되는 것이다. 그러나 이러한 방법은 독재로의 길을 의미한다. 위의 혁명적 주도 집단도 국민을 대표한다고 자칭하는 또 하나의 통치기구를 형성하기 때문이며, 이 통치기구는 여전히 독재적이다. 또한 폭력과 강제에 의한 변혁은 그 자체가 비민주주의적 행동이다. 게다가 폭력과 무력에 의한 변화는 그 전의 비민주적 상황의 결과 초래된 것이라 해도 그것 자체가 비민주적이며, 이 방법을 아직도 사용하는 사회는 후진사회이다. 그렇다면 그 해결책은 무엇인가?

국민이 기본국민회의로부터 국민총회에 이르는 통치기구로서 자신을 실현하는 것에 해결하는 길이 있다. 정부가 폐지되고, 국민위원회가 그것을 대신한다. 국민총회는 민족회의이며, 거기에서 기본국민회의, 국민위원회, 조합, 직능조직 및 모든 직업단체가 모인다. 이러한 제도 아래서는 사회가 법을 벗어났을 경우 그 시정은 강제력에 의해서가 아니라, 집단적 및 민주주의적으로 그리고 완전히 이루어질 수 있다. 이는 자의적인 과정이 아니라, 민주적 체제의 본질에서 도출되는 결과로써 자연적이며 자발적인 시정 과정이다. 그러므로 폭력의 희생이 되고 법으로부터의 이탈에 대한 책임을 져야 할 독재적인 집단은 부재하게 된다.

언론

개개인은 표현의 자유를 가지고 있다. 정신이상자라도 비이성적인 행동을 통해 자신의 광기를 표현한다. 또한, 법인도 자유롭게 자기 뜻을 표현한다. 그러나 개인의 경우는 자기를 표현하는 반면에 법인의 경우는 법인을 구성하는 여러 개인의 집단으로서의 의향을 표명한다. 사회는 다수의 개인과 다수의 법인으로 구성되는 것이며, 가령 어느 개인이 비이성적인 행동으로 자신을 표현한다고 해서 사회의 다른 사람도 모두 정신이상자라고는 말할 수 없다. 이처럼 개인의 표현은 자기표현이지만, 법인의 경우는 법인을 형성하는 사람들 전체의 공동 관심과 견해만을 표현한다. 예컨대 담배회사는 생산한 담배가 건강에 해롭다는 사실에도 불구하고 담배의 제조 및 판매로 이익을 얻는 사람들만의 관심을 반영한 의사 표명을 한다.

신문은 사회가 자신을 표현하기 위한 수단이지 개인과 법인의 표현 수단은 아니다. 그러니 논리적으로도, 민주주의의 관점에서도 신문은 법인과 개인의 소유물이어서는 안 된다.

개인소유의 신문은 그 개인의 소유물이며, 그것은 그의 의견을 전달할 뿐이다. "신문은 여론을 반영한다"라는 주장에는 전혀 근거가 없다. 왜냐하면 이 경우에 신문은 실제로는 어느 개인의 견해를 전달하고 있을 뿐이기 때문이다. 민주주의의 관점에서 본다면, 특정 개인이 출판과 보조수단을 소유하는 것은 인정될 수 없다. 그러나 비록 그 수단이 자신의 광기를 증명하는 비이성적인 방법일지라도 개인은 다양한 수단을 통해 자신을 자유롭게 표현할 수 있는 권리가 있다. 무역협회와 상공회의소가 발행하는 잡지는 특정 사회집단을 위한 독자적인 표현 매체에 지나지 않으며, 여론의 동향과 다른 개인 · 법인의 견해를 전달할 수는 없다. 이에 대해서 민주주의적인 신문이란 노동자연합, 부인연합, 학생연합, 농민연합, 전문직종사자연합, 사무직원연합, 기능자연합 등등 사회의 모든 부분으로 구성되는 국민위원회에 의해서 발행되는 것이다. 이 경우에만 언론이나 어떠한 정보 매체도 사회 전체의 관점을 표현할 수 있고 또한 그 구성 집단들의 공정한 관점을 표현할 것이며, 비로소 민주적으로 될 것이다.

의학협회가 잡지를 발행하는 경우, 그것은 그 협회의 견해를 전달하는 순수한 의학적이어야 한다. 이것은 여타의 분야에도 같게 적용된다. 인간은 자기 자신에 대해서만 표현의 자유를 갖는 것이며, 민주주의의 관점에서 볼 때 자기 외의 인간을 대신해서 말할 권리는 없다. 언론의 자유를 둘러싸고 오늘날에도 계속되고 있는 문제는 위와 같은 방법에 따라 근본적이고도 민주적으로 해결되는 것이다. 언론의 자유를 둘러싸고 현대세계가 아직도 진통을 겪고 있는 문제는 일반적으로 민주주의의 문제로부터 파생된다. 그것은 민주주의의 위기가 해결되지 않는 한 해소될 수 없는 문제이다. 제3의 보편이론만이 복잡다단한 민주주의 문제를 해결할 수 있다.

이 이론에 의하면 제도로서의 민주주의는 국민위원회, 직능조직의 토대 위에 견고하게 서 있는 강고한 구조체이다. 이 방식에 의하지 않는다면 민주주의 사회는 실현할 수 없다.

맺음말

공화제의 시대가 끝나고 대중의 시대가 급속히 다가오고 있다. 새로운 시대의 접근은 우리들의 마음을 타오르게 하고 우리들의 눈을 현란하게 한다. 이 새로운 시대는 대중들의 참된 자유와 독재로부터의 해방을 소리 높여 선언하고 있다. 그러나 아직은 타락하지 않은 국민의 권력인 새로운 민주주의도 장차 개인, 계급, 종족, 종파, 정당의 권력이 부활하면 폭력과 무질서 그리고 선동이 지배하는 시대에 재돌입하게 될 위험이 있다는 것을 이 새로운 시대는 경고하고 있다.

이론적으로는 지금까지 서술해 온 방식이야말로 참된 민주주의이다. 그러나 현실은 강자는 항상 지배자가 되려 하고, 사회 속의 유력집단은 항상 권력을 장악하려고 하는 것이다.

제 2 부

경제 문제의 해결
사회주의

제3보편이론의 경제적 기반

오늘날에 이르기까지 노동과 임금의 문제, 즉 노동자와 고용주, 생산자와 소유자 사이에서 생기는 문제를 해결하는 데 있어 여러 가지 중요한 역사적 발전이 있었다. 노동시간의 고정화, 초과근무수당, 다양한 종류의 휴가 규정, 최저임금제, 이윤 분배와 노동자의 경영 참여, 일방적인 해고의 금지, 사회보장, 파업권 등이 그 예이다. 추가로 대부분의 근대적 노동법이 인정하는 노동자의 여러 권리도 이에 포함된다. 또한, 소득의 법적인 제한과 개인소유의 금지에 의한 국유화 이행을 내용으로 하는 소유제도의 변경도 중요한 발전이다. 그러나 경제문제의 해결에 기여하는 역사적으로 중요한 발전에도 불구하고, 본질적인 문제는 전혀 해결되지 않은 상태로 있다. 과거 수 세기에 걸쳐 제한, 개량, 법제화 등에 의해서 경제문제의 심각함이 완화되고 상당한 이익이 노동자에게 돌아가고 있음에도 불구하고 경제문제는 아직 근본적으로 해결되지 않고 있다. 소유의 문제를 둘러싼 여러 가지 시도도 아직 생산자의 문제를 해결하지 못하고 있다. 소유의 형태는 자본가의 사적 소유에서 총체적인 국유화로의 변화처럼 극우에서 극좌로 변화하기도 하고, 혹은 중요 산업만의 국유화처럼 중간적인 여러 형태를 취하기도 하지만, 그 어느 경우에도 생산자는 수동적인 임금노동자로 머물러 있는 것이다. 이는 소련과 같이 국유화된 국가조차도 노동자는 사용자인 국가로부터 지시를 받고 임금을 받는 임금노동자에 불과하다.

임금개선을 위한 시도는 소유제도 변경에 못지않게 중요하다. 법률로 보증되고, 노조에 의해 수호되는 노동자의 모든 권익은 임금개선을 위한 노동자들의 피나는 노력으로 성취됐다. 산업혁명 직후에 생산자들이 처했던 혹독한 조건은 점차 개선되어 노동자 · 기술자 ·사무직원들은 처음에는 실현 불가능하게 보였던 여러 권리를 하나하나 획득해 왔다. 그러나 해결해야 할 경제문제는 아직도 존재하고 있다.

임금개선에 한정시킨 시도는 결코 해결책이 될 수 없다. 그것은 노동자의 권리를 인정한 것이 아니라 노동자에게 자선을 베푸는 것이며, 재선만을 목표로 하도록 유인한 기만적인 시도이다. 노동자에게 왜 임금을 주겠는가? 그것은 노동자에게 생산을 의뢰한 고용주의 이익을 위해 생산과정에 참여했기 때문이다. 지금껏 노동자는 자신이 생산한 물건을 소비하지 않았으며, 임금을 받기 위해 그것을 양도해야 했었다. 그러나 근본적인 원칙은 다음과 같다.

- 생산자는 바로 그 생산물의 소비자이다.
- 임금노동자는 임금이 개선되어도 일종의 노예이다.

임금노동자는 고용주에게 있어서 일종의 노예이다. 그것은 시한부적인 노예이며 고용주가 개인이든 정부든 간에 임금을 얻기 위해서 일을 해야 한다면, 그는 노예 상태에 있는 것이다. 그러니 노동자에게 있어서는 고용주가 개인사업자이건, 법인이건 차이가 없다. 즉 노동자가 임금노동자란 점은 현대의 모든 조건으로 비록 소유 형태가 아무리 달라도 변함이 없는 것이다. 생산수단이 국유화되었다 할지라도 국가는 노동자에게 임금 이외의 사회적 보장을 추가한 것에 지나지 않고, 그것은 부자나 경영자가 노동자에게 은혜를 베푸는 의미와 별 차이가 없는 것이다.

국유제 하에서 이윤은 노동자가 속하는 사회 전체에 환원되고, 경영자가 독점하는 사기업의 이윤과는 다르다는 논리가 있다. 하지만 그것은 다음과 같은 경우에만 타당하다. 첫째, 노동자 자신의 이익보다도 사회 전체의 이익이 우선되어야 하고 둘째, 소유 주체로의 유일한 정치권력이 국민회의, 국민위원회, 조합을 통해서 행사되는 문자 그대로의 국민의 권력이어야 하며 마지막으로 특정 계급, 특정 정당 혹은 정당 연합의 권력과 종족, 종파, 가족, 개인의 권력이나 대리인의 권력도 아닌 경우에 한해서다.

그러나 노동자가 사회적 이익의 일부를 수동적인 임금의 형태로 받는 것은 사기업에서 일하는 노동자의 경우와 같다. 즉 공적 · 사적 소유제도를 불문하고 노동자가 임금을 받는다는 사실을 동일하며, 노동자는 여전히 임금노동자이다. 노동자가 사회적 생산과정 속에 매몰되어 임금을 얻기 위해서만 노동하는 것이 아니라, 노동자가 자신의 생산물에 대해 권리를 가지고 있다는 기본적인 사실은 소유제도가 어떻게 변화해 왔건 간에 아직도 인정되지 않는다. 그 증거는 소유 형태가 변화해도 생산자는 여전히 임금노동자라는 사실에 있다. 이의 궁극적인 해결은 임금제도를 폐지해서 그 속박으로부터 인류를 해방하거나 계급 형성과 국가 및 인위법이 출현하기 전의 자연법 상태로 돌아가는 것이다.

고로 자연법은 회복되어야 할 기준이며 모든 인류 관계의 유일한 원천이다. 이러한 자연법칙은 경제 생산에 관계되는 여러 요소의 평등에 기초하는 자생적이고도 자연스러운 사회주의를 형성시켰고, 이 사회주의 아래에서 각 개인은 평등하게 자연의 생산물을 소비했다. 인간에 의한 인간의 착취와 자기의 필요 이상으로 많은 것을 소유하는 사태야말로 자연법칙에서 벗어난 것이며, 인간 사회의 타락과 부패가 여기에서 시작되는 것이다. 이것이 바로 착취적 사회가 등장하게 된 동기이다.

고대에서 지금까지의 경제생산에 관계된 여러 요소를 분석하면, 그것은 원료, 생산수단, 생산자로 구성되어 있다는 것을 알 수 있다. 이것들은 자연의 평등 원리에 의하면 각각 생산의 불가결한 요소이며 어떠한 요소만 없어도 생산은 정지한다. 각 요소는 생산과정에 있어서 불가결의 역할을 하고 있으며, 하나라도 빠진다면 생산은 정지한다. 각 요소는 그것이 필요한 만큼 생산과정에서 각각 똑같은 중요도를 가지며, 생산물에 대해 동등한 이바지를 하게 된다. 한 요소가 다른 요소에 우선하는 것은 그 자연의 평등 원리에 어긋나는 것일 뿐만 아니라 다른 요소의 권리를 침해하는 것이 된다. 각 생산요소는 해당 요소의 크고 작음에 관계없이 각각의 역할을 하고 있다. 생산과정이 두 요소만으로 이루어지는 경우 각 요소는 생산의 반에 해당하는 역할을 하며 생산이 3개의 요소로 실현될 때 각 요소는 생산에서 3분의 1의 역할을 한다.

이 자연의 법칙을 고대와 현대에 모두 적용할 때, 다음과 같이 될 것이다. 수노동(手勞動)에 의한 생산의 경우, 생산과정은 원료와 생산자인 인간으로 형성된다. 인간은 생산도구라는 새로운 요소를 생산과정에서 사용했다. 동물이 동력으로써 사용됐던 것이 그 일례이다. 또한 생산도구의 발전으로 동물은 기계에 의해 대체되었다. 원료도 종류와 양이 다양해져서 싸고 단순한 물질에서 비싸고 복잡한 물질로 변화했다. 똑같이 인간도 단순노동자에서 기술자, 전문가로 변화했고 다수의 노동자가 소수의 기술자에 의해 대체되기 시작했다. 생산요소가 질과 양에 있어 실질적으로 변화했지만, 각 요소의 기본적인 역할이 변화한 것은 아니다. 예컨대 생산요소인 철광석은 옛날에는 칼, 도끼, 창의 원시적인 제조법으로 제작했었지만, 지금은 거대한 용광로에서 가공되며 직공과 기술자는 그것으로 기계, 엔진 등 모든 종류의 차량을 제조한다. 이제까지 생산요소였던 말, 노새, 낙타 등은 지금 거대한 공장과 기계에 의해서 대체되었다. 원시적인 도구였던 생산수단이 이제는 복잡한 설비로 대체된 것이다. 그러나 생산요소가 아무리 발전했다 해도 그 본질은 변함이 없다. 생산요소들은 자연의 법칙에 순응할 때만 그 본래의 위치를 찾을 수가 있다. 자연법칙을 경시했던 모든 시도가 실패한 지금, 경제문제를 최종적으로 해결하기 위해서는 자연법칙으로 돌아가야만 한다.

종래의 역사 이론은 생산의 한 가지 요소로서 소유에만 관점을 맞추거나 혹은 생산물과 교환되는 임금에만 관점을 맞

춤으로써 경제를 논해 왔지만, 생산 그 자체가 내포하고 있는 문제를 해결한 것은 없었다. 그 결과 세계에 현존하는 모든 경제 제도에서 특징적으로 나타나는 임금제도는 국유화된 사회이거나 사기업이 인정되는 사회이든 간에 노동자들에게서 노동으로써 얻은 생산물에 대한 모든 권리를 박탈하고 있다.

공업생산부문은 원료와 기계와 노동자에 의존한다. 생산은 노동자가 공장의 기계를 사용해서 원료를 가공하는 공정이다. 결국 소비될 생산물은 원료, 공장(기계), 노동자의 모든 요소가 있어야 하는 생산과정을 통해서만 생산된다. 따라서 만약 원료가 없다면 공장은 가동할 수 없고, 공장이 없다면 원료는 가공될 수 없으며, 생산자가 없다면 공장은 조업할 수 없다. 이들 3요소는 생산과정에 있어서 똑같이 중요한 요소이다. 이 3요소 중 어느 것 하나를 빼도 생산을 있을 수 없다. 또한 각각 한 요소만으로도 생산은 실현할 수 없다. 두 요소만으로도 생산은 되지 않는다. 자연의 원리에 의해서 이들 3요소가 생산에서 차지하는 비중은 동일하다. 생산은 3등분 되어 각 생산요소는 각각의 임무를 수행하는 것이다. 중요한 것은 생산과정뿐만이 아니라, 소비하는 측도 역시 마찬가지이다.

인간과 토지만으로 생산이 이루어지는 농업생산의 경우에도 똑같다. 수공업 생산의 경우처럼 생산은 생산요소의 수에 따라서 이분되어진다. 농업용 기계가 사용될 경우, 농업생산도 3등분 된다. 즉 토지, 농업생산자 및 생산기계가 그것이다. 이처럼 모든 생산과정을 다스리는 사회주의제도가 자연법칙에 따라서 확립되는 것이다.

생산자란 노동자이다. 노동자를 생산자라고 부르는 것은 노동자, 피고용인, 근로자라는 용어는 적합하지 않기 때문이다. '노동자'의 전통적 개념은 양적, 질적으로 커다란 변화가 생기고 있고 노동자 계급은 과학과 기계의 진보에 따라서 끊임없이 감소하고 있다. 많은 노동자가 필요했던 업무를 기계가 수행하고, 기계를 움직이는 노동자의 수는 더욱 축소되는 것이다. 이것이 노동자의 양적 변화이다. 기계가 촉진하는 육체노동에서 기술노동으로의 이행이 노동력의 질적 변화를 의미하는 것이다.

결과적으로 노동자는 다수의 무지한 노무자로부터 일정 수의 기술자, 전문가, 과학자로 변화해 왔다. 결국 노동조합은 사라지고 대신 기술자, 전문가의 직능조직(syndicate)이 등장하게 될 것이다. 과학의 진보와 더불어 인류의 지혜는 심화하여, 비숙련노동자는 점차 사라지게 될 것이다. 단, 노동자의 새로운 존재 형태에도 불구하고 인간이 생산과정의 불가결한 요소라는 사실에는 변함이 없을 것이다.

욕구

자신이 필요로 하는 것이 타인에 의해 지배당할 때 인간은 자유를 상실한다. 욕구는 인간의 인간에 의한 예속을 초래하고 착취를 발생시킨다. 욕구는 근본적인 문제이며 인간의 욕구가 타인에 의해 지배될 때 투쟁이 생기는 것이다.

가옥은 개인에 있어서도 가족에 있어서도 근본적으로 필요한 것이다. 따라서 가옥은 타인에 의해 소유되어서는 안 된다. 임대이건 무료이건 간에 타인의 가옥에 주거하는 자는 자유가 없다. 각국은 주택문제의 해결에 노력을 해왔지만, 그것은 근본적인 문제해결책은 아니다. 인간 자신의 가옥에 대한 필요를 적극적 · 궁극적으로 해결하려고는 하지 않았기 때문이다. 이 여러 국가의 정책은 집세의 증가, 또는 감소, 그리고 집세의 표준화에만 집중했다. 사회주의 사회에 있어서는 사회 그 자체를 포함해서, 어떠한 것도 인간의 욕구를 지배하는 것은 허용되지 않는다. 자신이 사는 집과 자기 상속자의 집 이외에 임대의 목적으로 집을 지을 권리는 누구에게도 없다. 왜냐하면 그 집은 다른 사람에게 필요한 것이며, 임대의 목적으로 그것을 짓는 것은 타인의 욕구를 지배하는 것이 되기 때문이다. 즉 자유는 욕구의 내부에 잠재된 것이다. 욕구가 억압되면 자유도 억압된다.

소득은 인간에게 있어서 불가결한 필요이다. 그러나 사회주의 사회에서는 소득이 임금과 자선의 형태를 띠어서는 안 된다. 왜냐하면 사회주의 사회에서는 임금노동자는 존재할 수 없고, 모든 사람이 동업자로서 존재하기 때문이다. 개인의 소득은 자기 마음대로 사용하여 개인의 욕구를 충족시키기 위한 사유재산이다. 바꿔 말해 개인의 소득은 자신의 생산활동 내에서 개인의 몫이지, 생산의 대가로서의 임금은 아니다.

차량은 개인과 가족의 불가결한 필요이다. 그것이 타인에게 소유되어서는 안 된다. 사회주의 사회에서는 개인과 그 외의 어떠한 집단도 임대용의 차량을 사적으로 소유해서는 안 된다. 그것은 다른 사람의 필요를 지배하고 통제하는 것이기 때문이다.

토지는 누구의 소유물도 아니다. 그러나 누구라도 농경, 목축을 위해 토지를 사용하고 거기에서 편익을 꾀할 권리를 가지고 있다. 이 용익권(用益權)은 본인의 생애와 그 상속인의 대대에 걸쳐서 인정된다. 다만 이상과 같은 권리가 인정되는 것은, 임금의 지급 여부를 불문하고 타인의 노동을 사용하지 않는다는 조건으로, 자신의 노력으로 자신의 필요를 만족시키는 범위 내에 있을 때만의 경우이다. 토지의 점유가 인정될 때도 오직 거기에 거주하는 사람만이 그 토지를 점유할 수 있다. 토지는 그대로 존재하지만, 그 토지를 이용하는 사람은 시간의 경과에 따라 직업과 능력도 변화하고, 해당 토지에서의 거주 여부도 변화하기 때문이다.

새로운 사회주의 사회의 목적은 자유롭고 행복한 사회를 건설하는 것이다. 그러한 사회의 건설은 인간의 물질적 욕구 대상이 타자의 지배와 관리에 의해 방해받지 않고 충족될 때 가능하게 될 것이다.

욕구의 충족은 타인을 착취하여 예속화시키는 것에 의해 달성되어서는 안 된다. 그렇지 않을 때 새로운 사회주의 사회의 목적에 반하게 될 것이다. 이 새로운 사회에 있어서 인간은 자신의 노동으로 자신의 물질적 욕구를 보증하거나, 사회주의적 경제조직 내에서 그 동업자의 일원으로서 일하거나 혹은 물질적 욕구를 충족해 주는 사회를 위해 공공서비스의 노동에 종사한다.

새로운 사회주의 사회에서의 경제활동은 물질적 욕구를 충족시키는 것을 목적으로 하는 것이지, 비생산적 활동과 필요 이상의 이윤 축적을 추구하는 것은 아니다. 새로운 사회주의 하에서 이윤 축적 활동은 인정되지 않는다.

개인의 경제활동이 합법적으로 인정되는 것은 오직 자신의 물질적 욕구를 충족시키는 것을 목적으로 할 때에 한정된다. 즉 어느 시대에도 세계의 부에는 한계가 있는 것처럼 어느 사회의 부도 유한하다. 필요를 넘는 부분은 다른 사람이 획득해야 할 부분이며, 필요 이상으로 많은 부를 획득하려고 하는 경제활동은 누구에게도 허용되지 않는다. 사람들은 자신이 필요한 물품 중에서, 그리고 자신의 생산 노동을 통해서 얻은 것 중에서 일부분을 저축할 수 있지만, 타인의 노력에 의존하고 타인의 노동을 희생해서 저축하는 것은 허용되지 않는다. 필요를 넘는 축적을 하기 위해 경제활동을 한다면 그것 자체가 착취이며, 필요를 넘는 부분마저도 자신의 손에 넣기 위해 타인을 이용하는 것이다.

필요를 넘는 잉여축적분은 실은 사회의 부 전체 중에서 다른 사람에게 돌아가야 할 필요 부분이다.

필요를 넘는 잉여축적 목적의 사적 생산을 인정하고 자신의 필요 충족과 잉여의 획득을 위해 타인의 필요를 희생하면서, 그 타인을 강제적으로 동원하는 것은 착취이다.

임금노동자란 이미 말한 것처럼 인간의 예속 형태임과 동시에 의욕이 결여된 노동이기도 하다. 이 부분은 노동하는 생산자가 임금노동자이며 동업자는 아니라는 점에 근거를 두고 있다.

누구나 자신을 위해 일하는 생산 노동에 열의를 보이는 것은 자신의 물적 필요를 충족시키기 위한 사적 욕구가 일할 의욕을 북돋우기 때문이다. 또한 사회주의적 경제조직에서 생산의 동업자로서 일하는 사람들도 생산을 열심히 할 수 있는 것은, 생산 노동에 참여함으로써 자신의 욕구를 충족할 수 있기 때문이다.

임금노동은 생산 부문, 서비스 부문을 불문하고 생산을 증대 및 발전시킬 수 없었다. 왜냐하면 생산을 임금노동자에 의존하므로 생산은 끊임없이 감소하기 때문이다.

노동에 대한 다양한 사례연구

1. 제1의 사례

가. 한 노동자가 사회를 위해 10개의 사과를 생산했다. 사회는 노동의 보수로서 그 노동자에게 하나의 사과를 주고, 노동자의 욕구가 그것에 의해서 충족되는 경우
나. 한 노동자가 사회를 위해서 10개의 사과를 생산했다. 노동의 보수로서 사회는 그 노동자에게 한 개의 사과를 주지만, 노동자의 욕구는 충족되지 않는 경우

2. 제2의 사례

한 노동자가 타인을 위해 10개의 사과를 생산하고, 하나의 사과 가격보다 낮은 임금을 받는 경우

3. 제3의 사례

노동자가 자신을 위해 10개의 사과를 생산하는 경우

4. 결론

제1의 사례의 1의 경우 노동자의 생산은 증가하지 않는다. 왜냐하면, 노동자 자신의 수입이 되는 사과는 생산의 증가와 관계없이 항상 1개이며, 게다가 1개의 사과는 그의 욕구를 충족시켜 주기 때문이다. 따라서 사회를 위해 노동하는 노동자의 의욕은 떨어질 수밖에 없고 무기력하게 될 수밖에 없다.

제1의 사례의 2의 경우는 노동자의 생산 의욕 자체가 빠져 있다. 노동자는 자신의 욕구를 충족시키지 못한 채 사회를 위한 생산에 종사하기 때문에 노동자는 의욕을 가질 수 없는

것이다.

제2의 사례의 경우는 노동이 생산을 위해서가 아닌 임금을 얻는 것을 목적으로 하고 있다. 게다가 임금은 노동자의 욕구를 충족시키기에 불충분하다. 노동자는 더욱 비싸게 노동력을 팔기 위해 다른 고용주를 찾거나, 찾지 못하면 살아남기 위해서 원래의 고용주 밑에서 일해야만 한다.

이에 관해서 제3의 사례는 노동자가 의욕적이고 자주적으로 생산에 종사하는 예외적인 경우이다. 사회주의 사회에서는 자기의 필요성을 웃도는 사적인 생산은 인정되지 않고, 자신의 욕구를 충족시키기 위해 타인을 희생시켜서 노동하게 하는 것도 인정되지 않는다. 사회주의적 경제조직에 있어서 생산은 사회의 필요를 충족시키기 위한 것이다. 제3의 사례야말로 생산 증가의 견고한 기초가 된다. 그러나 가장 조건이 나쁠 때조차 노동자가 생존을 위해 일할 수밖에 없으므로 생산은 계속된다. 가장 좋은 예증이 자본주의 사회에 있어서, 살아남기 위해 노동할 수밖에 없는 노동자들에 대한 극심한 착취에도 불구하고 생산이 증가한다는 것이다. 그러나 『녹색서』는 물질적 생산을 둘러싼 문제만이 아니라, 인간사회의 모든 문제를 해결하는 것에 의해 개인의 물질적, 정신적 해방 및 행복 실현을 위한 궁극적 해방의 길을 보여주는 것이다.

5. 그 외의 다른 사례

가령 사회의 부가 10개이고 구성원도 10인이라고 하자. 그 경우, 각 사람이 사회의 부에 있어서 차지하는 비율은 10분의 10, 즉 1인당 1개이다. 그런데 누가 1개 이상을 갖는다면 하나로 갖지 못한 자가 나타날 것이다. 왜냐하면, 후자의 몫을 다른 사람이 장악하고 있기 때문이다. 이처럼 착취적 사회에서는 부자와 빈자가 존재한다.

이 사회의 5인이 각각 2개씩 소유한다고 하자. 나머지 5인은 아무것도 가질 수 없을 것이다. 결국 절반의 사람은 부에 대한 자기들의 권리를 박탈당한다. 최초의 5인이 소유하는 잉여분은 원래 다른 5인의 몫인 것이다.

개인이 자기의 욕구를 충족시키기 위해서는 사회의 부의 1단위로 충분하다고 한다면, 그것을 웃도는 단위를 소유하고 있는 사람은 타인의 권리를 박탈하는 것이다. 부가 필요량인 1단위를 넘는 것은 축적을 위해서 확보하는 것이며 타인의 필요를 희생으로 한 대가다. 축적분은 사회의 부 중에서 타인이 필요로 하는 부분을 횡령하는 것에 의해 실현된 것이다. 이것은 소비하지 않고 축적하는 자, 즉 자신의 필요를 웃도는 부분을 축적하는 자가 있지만, 사회의 부에 대한 권리로서의 자기 소비분마저도 획득할 수 없는 자가 존재하는 사태를 설

명해 준다. 이는 명백한 약탈과 도적 행위이지만, 억압적이고 착취적인 사회에 있어서 그것은 정당화된다.

필요를 웃도는 부분은 사회 전원의 소유로 돌아가야 한다. 개인에게 허용될 수 있는 것은 자신의 필요분 중에서 자기가 원하는 만큼 저축하는 것이다. 필요를 넘는 부분을 축적하는 것은 전체를 위한 부를 약탈하는 것을 의미한다.

유능하고 근면한 자라도 그 재능과 근면을 타인의 필요분을 횡령하는 데 쓰는 것은 정당하지 않다. 자신의 필요를 확보하고, 자기의 필요량 중 일부분을 저축할 때만 자신의 재능을 사용해야 한다. 또한 신체가 자유롭지 못한 사람이나 정신에 이상이 있는 사람이라고 해서 그들이 건강한 사람과 동등한 사회의 부에 대한 권리를 거부당하는 것은 절대로 정당하지 않다.

사회의 부는 다수의 사람에게 그 필요에 적합한 분량을 매일 제공하는 식량창고와 같은 것이다. 자신의 필요량에 대한 소비와 저축은 자신의 자유이며, 이러한 경우에만 자신의 재능을 발휘해야 한다. 그러나 그 재능을 이용하여 공공의 보급창고에서 필요를 넘는 추가분을 확보하려 한다면 그것은 명백한 도적 행위이다. 그러므로 자신의 재능을 이용해서 필요 이상의 부를 얻는 자는 사회의 부로부터 공중의 권리 및 부를 약탈하는 것이다.

새로운 사회주의 사회에서는 개인 간에 부의 격차는 오직 공공서비스에 종사하는 사람들 사이에서만 용인된다. 사회는 그들에게 그 봉사에 해당하는 일정의 부를 배분하는 것이며, 다른 사람과 비교하여 각 개인이 행하는 공공서비스의 다소에 의해 소득에 차이가 생기는 것에 지나지 않는다.

이처럼 수많은 역사적 실험을 거쳐 하나의 새로운 실험이 나타났다. 이 실험의 목적은 욕구의 충족, 착취의 근절, 독재의 폐지, 사회의 부의 공정한 분배 방법에 의해 인류가 목적해 왔던 완전한 자유의 획득과 행복의 실현을 최종적으로 달성하는 시대를 여는 것이다.

이 새로운 실험하에서 개인은 자신의 욕구를 충족시키기 위해 스스로 일하는 것이므로, 자신의 욕구를 충족시키기 위해 타인을 일하게 해서는 안 되며 또한 타인이 필요로 하는 것을 탈취하기 위해서 노동해서도 안 된다. 이것이 인간이 해방되기 위해서는 욕구를 해방하지 않으면 안 된다는 이론이다. 그리하여 새로운 사회주의 사회는 세계를 지배하고 있는 불공정한 관계가 변증법적으로 지양된 것 외에 아무것도 아니다. 그 경우 형성되는 필연적인 해결은 타인을 이용하는 것 없이 자신의 욕구를 충족시키기 위해서만 허용되는 사적 소유, 아울러 생산자가 생산활동에 있어서 동업자인 사회주의적 소유이다. 종래의 사적 소유가 생산물에 대한 생산자의 권리를 인정하지 않고 그들을 오직 임금노동자로서만 위치시킨 것은 부당하며, 이 사회주의적 소유에 의해 극복되는 것이다.

자신의 가옥, 자신의 차량, 생활을 위한 소득을 당신이 확보할 때 비로소 개인의 자유는 획득되는 것이다. 자유는 양도불가의 천부적인 권리이다. 인간이 행복하기 위해서는 자유롭지 않으면 안 되고, 자유롭기 위해서는 필요한 것을 자신이 소유하지 않으면 안 된다. 그러므로 누구든 타인의 필요를 횡령하는 자는 타인을 지배하고 착취하는 자이다.

인간에게 있어 불가결하고 사적으로 소유되어야 할 물적 필요란 먼저 의료, 식료, 그리고 가옥과 차량이다. 그것은 자신이 소유해야 하며 빌려서는 안 된다. 그것들을 빌리면 본래의 소유자는 빌린 사람의 사생활에 간섭하여, 빌린 자의 기본적 필요를 지배해서 자유와 행복을 뺏는 것은 어느 사회에서든 똑같다. 예를 들어 의류의 실질적인 주인은 길거리에서 그의 옷을 빼앗아 그를 발가벗긴 채 둘 수가 있는 것이다. 차량의 소유자 역시 길 한가운데 빌린 사람을 버려둔 채 차량을 뺏을 수가 있는 것이다. 주택의 소유자 역시 그 사람을 길거리로 내쫓고 가옥을 뺏을 수 있는 것이다. 인간에게 있어서 기본적인 욕구가 법적, 행정적 조치에 의해서 제약받는 것은 안 된다. 본래 이러한 인간의 욕구는 자연법칙에 합치하는 것이며, 사회는 이 바탕 위에 세워져야 한다.

사회주의가 목적하는 것은 인간의 행복이지만 그것은 물질적, 정신적 자유 하에서 비로소 실현된다. 그 자유의 실현은 인간이 자신의 필요한 물품을 소유하는 정도에 따라 결정된다. 그 소유는 개인적이며 또한 신성한 것으로서 보증된다. 즉 개인의 욕구는 다른 어떤 사람에 의해서도 탈취되어서는 안 된다. 만약 그렇지 않다면, 당신은 항상 외부에서 기본적 욕구를 침해당할 위험 아래에서 지내야 하므로 행복과 자유가 탈취당할지도 모르는 불안한 상태에 처하는 것이다. 현대 사회에 있어서 임금노동자의 사회에서 동업자의 사회로 전환되는 것은 종래 미해결 상태의 임금제도에 기초한 부당한 모든 관계가 변증법적으로 지양되는 것을 의미한다.

자본주의 사회에서 노동조합의 위협적인 힘은 임금노동자에 기초한 자본주의를 동업자의 사회로 전환할 수 있다.

사회주의 실현을 위한 혁명의 성공 여부는 생산자가 자신의 생산물에 대한 권리를 획득하는가 아닌가에 달려있다. 그것이 가능하다면, 노동쟁의의 목적이 임금인상에서 경영의 공동참여 요구로 변화할 것이다. 이 모든 것이 『녹색서』의 지도 아래에 조만간 실현될 것이다.

새로운 사회주의 사회의 최종단계는 이윤과 화폐가 폐지된 단계이다.

그것은 사회가 완전한 생산적 사회, 즉 생산이 사회 각 개인의 물질적 필요조건을 충족할 만할 정도로까지 발전한 사회에서 비로소 가능하다. 이 최종단계에서 이윤은 자동으로 폐지되고, 화폐의 필요성은 소멸한다.

이윤을 인정하는 것은 착취를 인정하는 것이다. 일단 이윤추구를 인정할 경우, 그것을 제한하는 것은 곤란하다. 제한하려는 여러 가지의 조치는 개량주의적인 조치에 그치고, 인간의 인간에 의한 착취를 저지하기 위한 철저한 조치라고는 말할 수밖에 없다.

최종적인 해결은 이윤을 폐지하는 것이다. 그러나 그 폐지는 사회주의적 생산의 발전에 따라 실현되는 것이다. 즉 사회주의적 생산의 발전은 사회 및 각 개인의 물적 필요성이 충족될 때 비로소 실현되는 것이다. 이윤 확대를 위한 노력은 궁극적으로 이윤을 폐지할 것이다.

가사사용인

가정부를 비롯한 가사사용인은 임금을 받든 안 받든 노예의 일종이며, 근대적인 노예이다. 새로운 사회주의 사회는 임금에 따르지 않고 생산에의 공동참가제도를 기초로 하므로, 가사사용인은 본래의 사회주의적 원리에 부합되지 않는다. 왜냐하면 그의 업무는 서비스로서 본래의 사회주의적 원리에 기초해서 각 개인의 분담으로 추진되는 생산활동과는 다르기 때문이다. 이 때문에 가사사용인은 임노동을 하거나, 열악한 조건으로 임금을 받지 않고 노동하는 것 외에는 다른 방도가 없다. 임금노동자는 일종의 노예이며, 그들의 예속성은 임금을 대가로 노동하는 한 존속한다. 더욱이 가사사용인의 입장은 가정 밖의 경제조직과 기관에서 일하는 임금노동자보다는 훨씬 열악하므로 노예사회인 임금노동자 사회의 본질적인 예속성으로부터 먼저 해방돼야 한다. 가사사용인의 상황은 노예와 다를 바 없다. 제3의 보편이론은 모든 부정, 압제, 착취로부터 대중의 최종적 해방을 시사하고 있다. 그것은 모든 국민이 동등한 권위, 부, 무장을 공유하는 자유로운 사회를 건설하는 것을 목적으로 한다.

『녹색서』는 임금노동자와 가사사용인 등 대중의 해방에의 길을 제시한다. 가사사용인들은 노예 신분에서 해방되어 생산에 공동 참가 하는 동업자로 변화되기 위한 투쟁이 불가피하다. 가사는 주인 자신이 해야 한다. 필수적인 가사 업무에서는 임금을 받든 안 받든 가사사용인은 일체 써서는 안 되고, 자신의 가사 업무를 하면서도 공적인 서비스도 하는 사람이 해야 한다. 이 경우, 이러한 사람에게는 어떠한 공공서비스 종사자와 다를 바 없는 조건으로 사회적 및 물질적 보장이 주어져야 한다.

제 3 부

제3보편이론의 사회적 기반

제3보편이론의 사회적 기반

인류의 역사는 사회적인, 즉 민족적인 요인에 의해서 추진된다. 가족, 종족, 민족이라는 각 인간집단을 결속시키는 사회적 응집력은 바로 역사변동의 원동력이다.

역사상의 영웅이란 대의를 위해서 희생을 한 사람을 일컫는다. 대의란 타인을 위해서 희생하는 것이며, 타인이라도 그는 영웅과 관련이 있는 타인이다. 한 인간과 집단과의 관계는 사회적 관계이며 그것은 민족을 구성하는 사람들 상호 간의 관계이다. 민족은 민족주의를 모태로 하여 형성되기 때문에 대의란 민족적 대의이며, 민족구성원의 관계는 사회적 관계를 의미하게 된다. 사회적 관계란 사회적 집단의 구성원 사이의 관계이며, 민족적 관계란 민족을 구성하는 사람들 상호 간의 관계이므로 양자는 결국 같은 개념이 된다. 왜냐하면 비록 구성원의 수에서 차이가 있을지라도 집단과 민족은 동질적 개념이기 때문이다. 여기에서 집단은 구성원 사이의 민족적 관계를 고려하지 않은 광의의 일시적인 집단이 아니라, 민족적 관계로 항구성이 부여된 집단을 의미한다.

한편 역사의 운동이란, 집단 자신의 이익이나 다른 집단으로부터의 독립을 추구하는 집단적이며 대중적인 운동을 의미한다. 각 집단에는 그 구성원을 결속시키는 고유의 사회구조가 있으며, 항상 집단운동은 정복되거나 압제 된 집단이 독립을 쟁취하려는 양상으로 나타났다. 권력에 대한 투쟁은 집단 내부를 포함하여 『녹색서』 제1부에서 상술한 바 있고, 제3보편이론의 정치적 기초로 취급되는 가족 단계에서도 발생한다. 또한 집단의 운동은 민족이 그 자신의 이익을 위해서 행하는 운동이다. 각 집단에는 고유한 민족적 구조를 바탕으로 공통으로 충족되어야 할 사회적 욕구가 존재한다. 이러한 욕구는 개인이 아닌 전체적인 욕구, 권리, 수요, 단일민족주의에 기반을 둔 민족의 목표 등을 의미하며 집단의 운동이 민족적 운동이라 일컬어지는 이유도 여기에 있다. 현대의 민족해방운동은 그것 자체 사회운동의 성격이고, 다른 집단의 지배를 받는 집단이 자기해방을 성취할 때까지 그치지 않을 것이다. 역사의 한 단계로서 민족주의의 승리를 목적으로 하는 민족투쟁이 현대세계에서 전개되고 있다.

이것이 인간세계의 역사적 및 사회적 현실이다. 민족투쟁, 즉 사회투쟁은 역사를 움직이는 동력이다. 왜냐하면, 그것은 근원적이고 기초적인 요인이며 또한 인간집단과 민족의 본질이고, 차라리 살아있는 것 자체의 본질이므로 역사변동에 있어서 다른 어떠한 요인보다도 강력한 요인이기 때문이다. 인간 이외의 동물들도 집단 속에서 살아가며, 그것이 동물 왕국의 모든 집단에 있어서 생존을 위한 기초 조건이다. 민족주의는 민족이 생존하기 위한 기초이며, 민족주의가 없는 민족은 존망의 갈림길에 처한다. 세계 정치 문제의 하나인 소수민족 문제의 근원은 사회적이며, 민족주의가 파괴되어 구성원이 흩어진 상태에서 그 근원을 찾아야 한다. 따라서 사회적 요인은 살아남기 위한 요인이며, 민족이 존속할 때 그 속에서 작동하는 고유한 힘이다.

인간세계 및 동물계에 있어서 민족주의는 광물과 천체에 있어서 인력(引力)과 같은 것이다. 만약 태양의 인력이 없다면, 태양의 가스는 폭발하여 태양계는 존재하지 않게 된다. 인력이야말로 태양계 존재의 기초이다. 따라서 통합력은 생존의 기초이다. 통합력(집단형성력)은 사회(민족) 성립시키는 요인이다. 이처럼 모든 집단은 그 존속을 위해 민족적 통일을 꾀하는 것이다. 사회적 구속력으로서의 민족적 요인은, 인력이 핵을 중심으로 하나의 덩어리로서 물체를 결합하는 성질을 갖는 것과 똑같이 민족을 존속시키는 성질을 갖는다.

원자폭탄의 원리는 핵분열에 의해서 원자의 비산(飛散)이 발생하는 것이다. 결국 원자를 결합하는 요인이 파괴되어 인력이 없어지면 모든 원자가 비산한다. 원자폭탄의 폭발이란 이러한 원자의 비산과 그것에 수반되는 모든 현상을 지칭하는 것이다. 이것은 사물의 본질이다. 이는 자연 불변의 법칙이며, 이 법칙을 무시하고 그것을 위배한다면 생명이 위태롭게 되는 것이다. 따라서 사회적 구속력이며 집단의 인력 및 그 생존의 비결이기도 한 민족주의를 무시한다면, 인간의 생명이 위태롭게 되는 것이다. 집단의 결속에 영향을 미치는 점에서 사회적 요인에 필적하는 것은 종교적 요인이다. 그것은 하나의 민족적 집단을 분열시키는 요인이기도 하지만, 상이한 민족적 집단을 일체화시키는 요인이기도 하다. 그러나 결국은 사회적 요인 쪽이 우위를 점하며 이것은 모든 시대를 통해 변함이 없는 것이다. 역사적으로 민족은 모두 하나의 종교를 가지고 조화를 이루어왔다. 그러나 어떠한 시대에도 국민 생활의 불안정화를 초래하는 대립과 투쟁이 끊임없이 있었다.

모든 민족구성원이 같은 종교를 갖는 것이 가장 이상적이며 이에 상반되는 것은 비정상적이다. 이러한 비정상이 원인이 되어 민족집단 내부에 갈등이 야기되는 것이다. 해결책으로는 자연의 이치에 조화할 수 있도록 각 민족이 하나의 종교를 갖는 것 외에는 없다. 결과적으로 이 사회적 요인은 종교적 요인에 합치하고 조화가 실현되어 집단 내의 생활은 안정 · 강화되고, 건전하게 발전하는 것이다.

결혼은 사회적 요인에 플러스가 될 수도 있지만, 마이너스가 될 수도 있다. 자유의 본래 원칙에 의해 남녀 모두 자신이 좋아하는 상대를 선택하고 혐오하는 상대를 거부할 수 있다. 그러나 결혼이 동일 집단 내부에서 행해질 때 집단의 결속은 강화되고 집단 전체가 사회적 요인과 합치해서 발전해 가는 것은 부정할 수 없다.

가족

개인에 있어서는 국가보다도 가족이 더 중요하다. 인류적 연대의 입장이 중시하는 것은 개인이며 개인이 중시하는 것은 가족이다. 가족은 개인의 요람이고 그의 탄생지며 사회적인 우산이다. 인류적 연대에 있어서 중요한 것은 개인이고 가족이지 국가는 아니다. 인류적 연대는 국가와는 무관하다. 국가란 인위적인 정치 및 경제 제도이며 군사제도이다. 따라서 인류적 연대는 국가와는 무관하며 국가가 인류적 연대에 이바지하는 것은 전혀 없다. 가족은 그 성질상 가지, 잎, 꽃으로 구성된 수목과 같다. 농장과 정원 등의 자연적 환경에 적응시키려고 하는 어떠한 인위적 조치도 식물 본래의 성질을 변화시키는 것은 불가능하다. 마찬가지로 정치적, 경제적, 군사적 요인이 가족을 국가로 향하게 해서 조직한다고 해도, 인간의 존재 방식의 본질이 변할 수는 없다. 가족의 이산과 소멸을 초래하는 어떠한 조건과 조치도 비인간적이고 부자연한 것이며 심지어 폭력적이다. 이것은 식물의 가지를 부러뜨리고 잎과 꽃을 시들게 하여 식물을 말려 죽이는 것과 동일한 것이다. 가족의 존재와 결합이 위협받는 사회는 자라고 있는 식물을 뽑아버리고 물을 주지 않고 태워버리며 말려 죽이는 농원과 똑같다. 비옥한 농장에서 식물은 쑥쑥 잘 자라며, 꽃을 피우고 열매를 맺으며 뿌리를 확장한다. 인간사회도 이와 같다.

활력으로 충만한 사회에서 개인은 가족 속에서 잘 자라며, 가족도 또한 번영한다. 잎이 가지에 연결되어 있고 가지가 줄기에 연결된 것처럼 개인은 궁극적으로 인류라는 커다란 가족에 연결되어 있다. 서로 떨어져 있다면 잎도 가지도 존재의의가 없게 되며 생명도 없게 된다. 개인도 가족에서 떨어지면 똑같으며 가족을 갖지 못한 개인은 가치를 잃고 사회생활을 잃는 것이다. 가령 인간사회가 가족을 갖지 못한 인간만의 사회가 된다면 그것은 가공 식물과 같이 뿌리 없는 부랑자들의 사회이다.

종족

종족이란 번식으로 확대된 가족이다. 따라서 종족은 대가족이라 말할 수 있다. 해당 종족이 인구 확대로 민족으로 되기 때문에 민족은 대종족이라 말할 수 있다. 민족은 여러 민족으로 발전하여 세계는 대민족으로 된다. 가족을 결합하는 관계는 종족과 민족과 세계를 결합하는 관계와 근본적으로 똑같다. 단, 양적 확대에 따라서 그 관계의 긴밀성은 약해진다. 인류적 연대는 민족주의의, 민족주의는 종족주의의, 종족주의는 가족의 결합 연장선에 있다. 소규모에서 대규모로 이행함에 따라서 관계의 긴밀성이 약해진다는 것은 부정할 수 없는 사회적 사실이다.

사회적 구속력, 단결과 통일, 애정은 세계 단계보다는 민족 단계에서, 민족 단계보다 종족, 종족 단계에서보다는 가족 단위에서 더욱 견고하다. 사회적 구속력이 강력하게 존재하는 한, 이에 기반한 이익, 편의, 가치, 이상은 견고히 유지되며 가족, 종족, 민족, 세계의 순으로 사회적 구속력은 더욱더 강하다. 사회적 구속력과 그것에 기초하는 이익, 편의, 이상 등은 가족, 종족, 민족 혹은 인류가 소멸할 때는 틀림없이 상실된다. 따라서 인류사회가 가족, 종족, 민족 간의 단결을 유지하고 가족적, 종족적, 민족적, 인류적 연대에 뿌리를 둔 결합, 단결, 통일, 애정이 초래하는 이익, 편의, 가치, 이상을 유지하는 것은 대단히 중요하다.

협력, 애정, 이익의 관점에서 보면 가족사회가 종족사회보다 낫고, 종족사회가 민족사회보다 나으며, 또한 민족사회가 다민족 구성의 사회보다 낫다.

- 종족이 갖는 장점

족이란 대가족이기 때문에, 종족은 가족이 가족 구성원에게 부여하는 것과 같은 물질적 이익과 사회적 편의를 종족 구성원에게 부여한다. 종족은 이차적 가족이다. 사람들은 보통 할 수 없는 천박한 행위를 때때로 가족 앞에서 행한다. 이 경우에 가족의 규모는 작아서 사람들은 가족의 제지를 무시할 수가 있다. 그러나 종족의 경우는 이와 달리 종족의 구성원이 불가피하게 의식하지 않을 수 없는 강력한 구속력을 가지고 있다. 종족은 종족만이 지킬 행동규범을 규정하고 있다는 것에 주목해야 한다. 그 규범은 어떠한 학교 교육보다 훌륭하고 더 인간성이 풍부한 사회교육으로 된다. 종족은 말하자면 사회의 학교이며 종족민들은 어릴 때부터 인생의 높은 이상을 배우게 된다. 공적 의무로서 강제되어도 성장 과정에서 잊어버리는 교육과는 달리, 사회교육은 자연에 뿌리박고 있다. 국가에 의한 공교육의 결함은 그 공적 성격 때문에 성적주의에 빠지며, 누구나 그것을 강제된 교육이라고 느끼는 것이다.

종족은 사회의 안전을 스스로 지키기 위한 사회적 우산이다. 사회적 성격에 근거한 부족적 전통을 기반으로 하고 종족은 종족민에 대하여 종족이 포로가 될 경우의 공동 지급 및 연대책임으로서의 벌금, 집단적 복수, 공동방위 즉 사회적 방비 등의 의무를 맡긴다.

혈연은 종족 형성의 주요인이지만 동화(同化)도 형성 요인인 이상, 그것만이 유일한 요인은 아니다. 시간이 지나면서 혈연적인 요인과 동화적 요인의 차이는 사라지고, 종족은 하나의 사회적 및 물질적 단위로서 유지된다. 그러나 종족 형성의 요인으로서 혈연이 다른 어느 요인보다도 더욱더 강하다.

민족

민족은 개인에 있어서 정치적이고 민족적인 우산이며 종족이 종족민에게 부여하는 사회적 우산보다도 더 폭이 넓다. 종족주의는 민족주의를 손상하는데 이는 종족에의 충성으로 인해 민족에의 충성은 희생되고 약화하기 때문이다. 똑같이 가족에의 충성이 강하면 종족에 대한 충성은 희생되고 약해진다. 민족에는 민족적 열광이 본질적 요소이지만, 그것은 인류적 연대를 위협한다.

국제사회에 있어서 민족은 종족 내의 가족과 유사하다. 종족 내의 가족 간 대립이 격화하면 당연히 그 종족의 불안 정도는 커진다. 똑같이 가족 구성원이 각각 자신의 이익을 추구하면 그 가족은 위기에 처하고, 같은 민족 내의 종족들이 각각 배타적으로 이익을 추구하면 그 민족도 위기에 처하게 된다. 민족적 열광과 약소한 민족을 억압하는 배타주의적 권력 혹은 민족적 착취 등에 의해 실현되는 민족적 발전은 부당하며, 인류적 연대를 손상하는 것이다. 그러나 유능하며 자존심과 책임감을 가진 개인의 존재는 가족에 있어서는 중요하고 유용하다. 마찬가지로 강하고 훌륭하고 자신의 중요성을 자각하고 있는 가족은 사회적 및 물질적으로 종족을 유력하게 지탱한다. 진보적이고 생산력이 풍부하고 문명화된 민족이 존재하는 것은 세계 전체에 중요하다. 민족의 정치구조는 사회적으로 더욱 낮은 차원에 있는 가족과 종족 식으로 행동하고 견해를 취한다면 붕괴하고 말 것이다. 대가족인 민족이 출현하는 것은 가족이 확대해서 종족이 형성되고 그 종족이 같은 운명을 공유하는 몇 개의 종족으로 분기한 이후이다. 바꿔 말하면 오랜 시간이 걸리는 단일종족의 세분화 단계와 여러 혼합에 의한 확대 단계를 거쳐서 비로소 가족은 민족으로 되는 것이다. 시간이 지나면서 새로운 민족이 탄생하는 반면 오래된 민족은 쇠퇴한다. 그러나 양자 어느 경우에도 민족이란 같은 혈연과의 공동 운명을 중심으로 하여 역사적인 토대에서 성립하는 것이다. 혈연이 민족적 토대이며 그 출발점이라 하여 가장 중요하고 동화에 의한 공동의 운명은 부차적이라 할지라도 민족은 단지 혈연에 의해서만 성립하는 것은 아니다. 그 외의 역사적으로 축적된 인간의 모든 요소도 민족 형성의 계기가 되어 비로소 인간 집단은 일정 지역에 정주하고 공통의 역사와 전통을 형성하고 공동의 운명을 갖게 되는 것이다. 그 때문에 민족은 혈연과 관계없이 최종적인 운명공동체인 것이다.

그런데 왜 이전의 대국이 소멸하고 다른 나라가 등장하고, 다시 새로운 대국이 나타나는가? 그것은 단지 정치적 이유에 의한 것으로, '제3보편이론의 사회적 기반'과는 아무런 관련이 없는 것인가? 아니면 『녹색서』의 이 부분과 관련한 사회적 이유에 의한 것일까? 이에 대해서 생각해 보자 가족은 정치구조체라기보다는 사회구조체라는 것은 명백하며 종족도 역시 마찬가지이다. 종족이란 가족이 확대 재생산되어 많은 가족이 되었을 때, 이 많은 가족을 포용하는 하나의 대가족이다. 또한, 민족도 결국은 종족이 성장하여 많은 가지로 나누어지고 그것이 처음에는 제 씨족으로 다음에는 제 종족으로 발전했을 때 이것들을 다 포용하는 하나의 대종족인 것이다.

따라서 민족도 또한 사회구조체이며, 민족주의를 결합의 매개로 한다. 종족은 종족주의를 매개로 하고, 가족은 가족적인 연계를 매개로 하는 사회구조체이다. 세계의 모든 민족은 인류적 연대를 매개로 하는 사회구조체라는 것은 자명한 사실이다. 반면 정치구조체는 국가로서 체현된다. 국가가 세계의 정치지도를 구성하고 있다. 그러나 왜 세계지도는 시대에 따라 변하는가? 그 이유는 국가라는 정치구조체가 사회구조체에 합치하거나 합치하지 않기 때문이다. 단일민족 위에 구축된 정치구조체는 안정적으로 지속한다. 외부로부터의 식민지화나 내부로부터의 붕괴 때문에 변동이 일어나도 민족투쟁과 민족의 각성 혹은 민족 통일을 통해서 그것은 다시 등장한다. 정치구조체가 복수 민족에 따를 때는 민족주의에 기초해서 각각의 민족이 독립을 달성하려고 하여 그 정치구조체의 지도는 분해되는 것이다. 따라서 지금까지 세계에 등장했던 모든 제국의 지도는 제국의 다민족 구성 때문에 끊임없이 분해됐다. 각 민족이 민족주의를 고집하여 독립을 추구하면 정치적 제국은 분열되고 그 구성요소는 독자적인 정치구조체를 형성하게 된다. 이 점은 세계사의 각 시대를 검토해 보면 명백하다. 그러나 이러한 제국들은 왜 복수 민족에 의해서 구성된 것일까? 이는 국가는 가족, 종족, 민족 등의 경우와 같은 사회구조체일 뿐 아니라 여러 요인에 의해 형성된 정치적 실체이기 때문이다. 그중에서도 민족주의가 가장 중요한 요인이다. 민족국가야말로 자연적인 사회구조체에 합치하는 유일한 정치형태이다. 외부로부터의 강력한 민족적 억압에 굴복하지 않고, 국가라는 정치구조체가 종족, 씨족, 가족이란 사회구조체와 마찰을 일으키지 않는 한 민족국가는 존속한다. 만약 정치구조체가 종족적, 가족적, 종파적인 사회구조체에 종속하여 어느 한 종족, 가족, 종파에 의해 영향을 받는다면 붕괴하게 된다.

복합적인 민족국가의 형성에서는 민족적 요인 외에 종교적, 경제적, 군사적 요인도 작용한다. 다민족국가의 형성에는 단일종교, 경제적 필요성, 군사적 정복 등도 영향을 미친다. 이처럼 세계는 국가와 제국이 시대에 따라서 등장하고 소멸하는 것을 보았다. 동일 종교를 신봉하여도 민족의식이 종교의 식보다도 강하게 나타나고 민족주의 사이의 대립이 격화한다면 각 민족은 서로 분리해서 각각의 독자적인 사회구조체를 회복하여 결국 제국은 소멸한다. 종교의식이 민족의식보다 강하면 다시 종교의 역할이 중요성이 있게 되고 여러 민족주의가 하나의 종교 아래에 결성하게 된다. 추후 민족적 역할의 비중이 높아질 때까지 이 상태가 계속되는 것이다.

종교적, 경제적, 군사적 이유로 인위적 이데올로기에 의해 타민족 구성을 취하고 있는 국가는 언젠가 민족적 대립 때문에 분열되고 마침내는 각각의 민족이 독립하게 되는 것이다. 즉 사회적 요인이 불가피하게 정치적 요인을 제압할 것이다.

따라서 국가의 존재를 가능하게 하는 정치적 필연성이 있어도 개인의 생활 기반은 무엇보다도 먼저 가족이며 다음에 종족, 민족, 그다음이 인류이다. 사회적 요인이야말로 기본적이며 불변적인 요인인데 그것은 민족주의로서 나타난다. 훌륭하게 사람을 교육하기 위해서는 우선 가족이 중시돼야 한다. 그다음에는 사회적인 우산이면서 가정교육을 이어받아 인간 교육을 하는 자연적인 학교인 종족이, 그러고 나서 민족이 중시되지 않으면 안 된다. 개인은 사회적 가치를 오직 가족과 종족을 통해서 배우지만 가족도 종족도 자연발생적인 사회구조체이며 특정 개인이 그 형성에 관여하는 것은 가능하지 않다. 가족을 중시하는 것은 개인을 위한 것이며 똑같이 종족을 중시하는 것은 가족, 개인, 민족, 즉 민족주의를 위한 것이다. 사회적 요인, 즉 민족적 요인이 역사를 실제로 끊임없이 추진시키는 원동력이다.

인간에 대한 민족적 구속력을 무시하고 사회적 진리와 모순되는 정치제도를 수립할 때 그 정치제도는 일시적인 것에 지나지 않고 사회적 집단들의 운동인 각 민족의 운동으로 붕괴할 것이다. 이상의 사실은 모두 인간 생활에 있어서 고유한 진실이며 인간의 노력으로 좌우될 수 있는 것은 절대 아니다. 이 세상 인간 누구도 자신의 행동이 정당한 행동이 되게 하기 위해서는 이러한 진실에 대해서 알고 그것에 따라 행동하지 않으면 안 된다.

결론적으로 인간 생활의 본질을 알지 못하고 또는 그것을 무시하여 인간집단 내부에 이탈과 혼란이 생기는 것을 막기 위해서는 이 확고한 진리에 대해 알아야만 한다.

여성

남자도 여자도 인간이란 것은 틀림없는 사실이다. 따라서 인간으로서 남녀가 평등하다는 것은 자명하다. 남녀를 인간의 자격에 있어서 구별하는 것은 정당화할 수 없는 극도의 억압적인 행위이다. 여성도 남성과 똑같이 먹고 마시며 사랑을 하고, 애증의 감정을 갖는다. 여성도 생각하며, 배우고, 이해하고 또한 주거와 의복, 자동차 등 차량이 필요하다. 공복과 갈증을 느끼고 살고 죽는다는 점도 남자와 다름이 없다. 그러나 왜 남자와 여자가 있는 것일까? 명백히 인간사회는 남녀 쌍방으로 이루어져 있고, 남녀가 있는 것이 보통의 상태이다. 왜 남성 혹은 여성만이 창조되지 않았을까? 결국 남성과 여성의 차이는 무엇일까? 왜 남성 여성 쌍방을 창조할 필요가 있었을까? 남녀 중 한쪽만이 아니라 양쪽이 존재하는 것은 명백히 그 필요성이 있었기 때문일 것이다. 즉 쌍방은 서로 다르기 때문이다. 남녀가 창조되고 각각이 존재하는 것은 남녀 사이에 자연적인 차이가 존재한다는 것을 보여준다. 쌍방은 물론 각각의 역할을 맡고 있다. 따라서 남녀 각각이 독자적인 역할을 하기 위한 조건도 다른 것이다. 쌍방의 역할을 이해하기 위해서 남녀의 특성의 상이점을, 즉 양자의 생리 구조의 상이점을 이해하지 않으면 안 된다.

여성은 문자 그대로 여성이며, 남성은 남성이다. 산부인과 의사의 설명에 의하면 여성은 그 특성 때문에 매월 생리를 한다. 매월 주기적으로 찾아오는 이 증상은 출혈이다. 여성은 여성이기 때문에 자연의 섭리로서 매월 출혈하는 것이다. 여성이 출혈하지 않을 때, 그것은 여성이 임신하고 있기 때문이며, 임신하면 여성은 1년 동안 약해진다. 즉 출산 때까지 여성 고유의 활동은 모두 제한되는 것이다. 출산과 유산 때, 여성은 거기에 수반되는 산욕(産褥)으로 고생한다. 남성은 임신하지 않으며 여성이 여성이기 때문에 경험하는 고통은 알지 못한다. 여성은 태어난 아기를 모유로 기른다. 모유에 의한 육아는 2년 동안 행해진다. 모유로 아기를 기를 경우, 아기에게는 모친이 필수적이기 때문에 여성의 활동은 제한받게 된다. 여성은 아기에 대해서 직접적으로 책임을 지게 되는 것이다. 아이가 사는 데에 필수적인 생물학적 기능을 수행하는 걸 여성이 도와주지만, 남성은 임신도 할 수 없고 모유로 기를 수도 없다. 이상의 고유한 특성이 남녀의 상위를 초래하는 것이다. 상위 그 자체가 남녀 쌍방의 존재 필연성을 보여주고 있다. 남녀는 서로 다른 생활 중에서 각각의 역할이나 기능을 가지고 있다. 남성은 결코 여성의 역할을 대신할 수 없다. 생물학적인 역할이 무거운 부담으로 되어, 여성에게 커다란 노력과 고통을 주고 있는 점은 주목할 만하다. 그 외에 여성이 하는 역할은 이것이 없으면 인류의 생명이 단절되는 선천적인 역할이며, 의지력과 강제력으로 행해질 수 없는 것이다.

임신을 의도적으로 저지하는 경우, 이는 인간의 생명을 단절하느냐 않느냐로 선택하는 것이다. 또한, 임신과 모유에 의한 육아를 의지 때문에 부분적으로 제약하는 때도 있다. 그러한 것은 모두 생명을 모독하는 행위에 해당하며, 살인 행위에 해당하는 것이다. 임신, 분만, 모유에 의한 육아를 하지 않으려고 여성이 자살하는 것은 임신, 분만, 모유에 의한 육아에 구체화한 자연의 섭리에 반하는 행위이다. 탁아소는 모성으로 나타나는 여성의 선천적 역할을 손상하고 모친의 역할을 대신한다. 그러나 이것은 인간사회를 폐지하고, 인간사회를 인공적 생활양식에 의한 생물사회로 변질시키는 것이다. 아이를 모친으로부터 격리하고, 탁아소에 맡기는 것은 아이를 흡사 양계장의 병아리같이 취급하는 것이다. 이렇게 말하는 것은 탁아소가 부화한 병아리가 수용되는 양계장과 유사하기 때문이다. 이 경우, 선천적인 모성 외에 인간의 특질과 그 존엄에 적합한 것은 없다. 따라서 아이는 양계장과 같은 장소에서 양육되어서는 안 되고 모성애, 부성애, 형제애가 깃들어 있는 가족 속에서 모친의 손에 의해 양육되어야만 한다. 동물 왕국의 여느 동물과 마찬가지로 병아리도 양계장에서 양육되는 것은 부자연한 것이다. 닭의 살코기까지 자연적인 살코기라기보다는 인공적인 살코기에 가깝다. 기계화된 양계장에서 생산된 닭의 살코기는 닭의 육성이 인공적으로 행해지고 모성애에 의해 육성된 것이 아니기 때문에 맛도 없고 영양 면에서도 열등하다. 야생 새의 살코기가 영양이 풍부한 것은 그것이 자연 속에서 육성되고 천연의 먹이를 먹기 때문이다. 가족도 없고 집도 없는 어린아이에 대해서는 사회가 그 보호자이지만, 탁아소와 같은 시설은 이러한 어린아이들을 위해서만 한정되어야 한다.

보통 어린아이에게 모친과 탁아소 중 어느 것을 선택할 것인가 실험을 해보면, 아이가 선택하는 것은 모친이며 탁아소는 아니라는 것이 분명하다. 아이가 모친을 선택하는 것은 자연적인 성향인 이상, 아이를 보육하는 가장 자연적이며 적절한 존재는 모친이다. 모친을 대신하는 탁아소에 아이를 맡기는 것은 아이의 자연적 의지에 반하는 강제이다.

모든 생물에 있어서는 자연적 성장이야말로 자유롭고 건전한 성장이다. 탁아소가 아이를 맡는 것은 자유롭고 건전한 성장에 반하는 강제 행위이다. 아이들은 아무것도 모르는 단순한 상태에서 강제로 속여서 탁아소로 추방된다. 그들을 탁아소로 추방하는 것은 단지 물질적 · 비사회적 판단에 의해서이다. 만약 강제와 아이의 무분별한 단순함이 배제된다면 아이는 명확히 탁아소를 거부하고 모친에게 매달릴 것이다. 그러나 탁아소에 아이를 맡기는 부자연스럽고 비인간적인 행위가 행해지는 것은 여성이 여성의 특질에 적합하지 않은 환경하에서 비사회적이고 반모성적인 일을 해야 하는 현실이 있기 때문일 것이다. 여성은 여성 독자적인 자연적 임무를 수행할 수 있는 적합한 위치에 있어야 한다.

모친의 애정을 쏟는 것이 여성의 역할임을 고려하면 아이를 모친으로부터 떼어놓는 것은 부자연스럽다. 모친이 모성을 포기하는 것은 인생에 있어서 여성이 해야 할 고유의 역할을 포기하는 것이다. 모친에게는 모친의 권리가 보증되지 않으면 안 된다. 또한 강제와 압박에서 자유롭고 그 외에 여성에 적합한 환경이 보증되지 않으면 안 된다. 자연 상태 내에서만 여성은 그 고유의 임무를 수행할 수 있다. 강제와 압박에 의한 부자연한 상태 아래에서는 여성은 임신과 모성애에 대한 그녀 자신은 고유의 역할을 포기하지 않을 수 없다. 그것은 여성이 강제와 독재의 희생이 된다는 것을 의미한다. 여성이 여성 고유의 역할을 희생할 수밖에 없는 일을 구하는 것은 자기 뜻에 의해서가 아니라 필요로 강제되는 것이다. 여성이 남성은 할 수 없는 고유의 임무를 수행하기 위한 필요조건 중에서는 임신으로 몸이 약하게 된 여성에게 적합한 조건들이 있다. 모친의 임무를 수행하는 여성에 대해서 무리한 육체노동을 부과하는 것은 정당하지 않다. 무리한 육체노동은 모성과 인륜을 등진 여성에 대한 벌로써 과해지는 것이고 남성의 영역에 들어온 것에 대해 그녀가 내야 할 세금이다.

여성 자신도 포함해서 일반 사람들은 여성이 자진해서 육체노동을 하고 있다고 생각하지만 실은 그렇지 않다. 물질주의에 떨어진 냉혹한 사회가 그녀가 알지 못하는 사이에 강제적인 환경에 여성을 방치한 것이다. 여성은 자진해서 자발적으로 일하고 있다고 생각해도 실은 사회가 부과한 모든 조건에 순종하고 있을 따름이다. 또한 남녀는 모든 면에서 평등하다고 하는 원칙이 여성의 자유를 박탈하기도 하는 것이다.

'모든 면에서'라는 표현은 여성에 있어서는 커다란 사기이다. 그것은 여성이 여성 고유의 임무를 수행해야 할 특권을 가지고 있다는 것을 무시하고 그 특권의 필요조건을 파괴하기 때문이다.

남녀 평등을 외치면서 임신 중의 여성에게 무거운 짐을 지게 하고 또한 어린아이에게 모유를 먹여야 하는 여성에게 단식, 고행을 실천하도록 요구하는 것은 부당할 뿐 아니라 잔혹하기까지 하다. 남녀 평등을 외치면서 여성의 아름다움을 손상하고 여성스러움을 박탈하는 지저분한 일을 하도록 하는 것은 역시 부당하고 잔인하다. 여성의 본성에 적합하지 않은 일을 하도록 권장하는 교육 역시 부당하고 잔인하다.

인간성에 관련되는 문제에 관한 한 남녀는 평등하다. 모든 남녀는 자신의 의지로 결혼하고 공정한 재판을 통하지 않고 이혼할 수는 없으며 또한 이혼이 인정되지 않는 한, 재혼은 가능하지 않다. 집의 주인은 여성이다. 그것은 생리와 임신을 경험하고, 아이를 돌보는 여성에 있어서는 집이 필요조건의 하나이기 때문이다. 여성은 모성을 보호하는 장소인 집의 주인이다. 인간세계와 여러 가지 점에서 차이가 있는 동물 왕국에서조차 아이를 어머니로부터 격리하고, 암컷을 그 서식처에서 쫓아내는 것은 명백히 폭력적인 행위이다. 여성은 여성 이외의 아무것도 아니다. 남성과는 다른 여성의 생물학적 특성이 외면적·내면적으로 남성과는 다른 특성을 여성에게 부여하고 있다. 그것은 자명한 사실이다. 동물계에서도 수컷은 강하게 태어나는 것에 반해 암컷은 아름답게 태어나는 것이다. 이것은 인간, 동물, 식물 등 종을 불문한 불변의 천성이라 할 수 있다.

자연의 섭리에 기초한 남성의 특질로서 남성은 강인한 임무를 수행한다, 그것은 강제에 의해서가 아니라 단순히 그가 그렇게 태어났고 창조되었기 때문에 그렇게 하는 것이다. 여성이 아름다운 역할을 하는 것은 그녀가 원해서가 아니라 그렇게 창조되었기 때문이다. 이와 같은 자연의 섭리가 정당한 것은 그것이 자연적이며, 자유의 기본원칙이기 때문이다. 모든 생물은 자유로운 존재로서 창조되는 것이며 어떠한 형태이건 간에 자유를 방해하는 것은 강제를 의미한다. 자연이 정한 역할을 맡지 않고 그것에 대해 무관심한 것은 생명의 가치를 무시하거나 파괴하는 행위이다. 자연은 현재에서 장래까지의 변화를 명확히 예견할 수 있는 생명현상의 필연성에 기초하여 형성된다. 생물이란 죽을 때까지 불가피하게 살아 있는 존재이다. 탄생 때부터 죽을 때까지 생존하는 것은 자연의 법칙에 합치하는 것이며, 그것에는 선택도 강제도 없으며 자연 그 자체이다. 즉 그것은 자연적 자유이다. 동식물의 세계에서도 인간의 세계에서도 탄생에서 죽을 때까지의 생명현상에는 필연코 남성과 여성의 존재가 따른다. 남성과 여성은 단순히 존재하는 게 아니다. 각각은 창조되었을 때 예정된 자연적 역할을 완벽하게 수행하지 않으면 안 된다. 각각의 역할이 충분히 발휘되지 않을 때는 필연코 생명현상에 결함이 생기게 되는 것이다. 오늘날 세계의 거의 모든 사회에서 남녀 역할의 혼동, 즉 여성을 남성으로 변화시키려는 노력이 보인다. 하지만 그것은 명백히 위에서 말한 것과 같은 결함이 생기는 경우를 보여주는 것이다. 남녀는 각각의 특성과 목표에 따라 자신의 역할 내에서 창조적으로 활동하지 않으면 안 된다. 그 반대를 기도하는 것은 퇴행적인 기도이다. 그것은 자연을 거스르는 것일 뿐만 아니라 자유의 원칙을 손상하고, 또한 생명을 위해서도 생존을 위해서도 해로운 것이다. 비록 부분적으로만 역할을 포기하여도 그것은 부자유하고 부자연한 것이다. 건강과 일을 이유로 해서 결혼, 임신, 모친의 역할, 화장을 포기하는 것은 자신의 자연적 역할을 포기하는 것이다.

여성이 구체적인 이유도 없이 임신, 결혼, 모성 등 여성 고유의 역할을 포기하는 경우 그녀는 자신의 자연적 역할을 포기하는 것이며 부자유한 상황에 떨어지는 것이다. 여성이 자신의 고유역할을 수행하려고 하는 것이 방해받고 권리의 평등을 구실로 여성이 남성의 일을 하도록 강제되는 것은 물질주의의 독소에 빠진 사회의 조건이 작용하고 있기 때문이다. 이들 조건을 근절시키기 위한 전 세계적인 혁명이 필수적이다. 특히 공업화된 사회에서는 『녹색서』와 같은 혁명의 기폭제가 없어도 생존본능에 의해서 혁명은 필연적으로 일어날 것이다. 현대 어느 사회에서도 여성은 단순히 상품 취급을 당하고 있다. 동양에서 여성은 매매의 대상이 되고 있고 서양에서는 여성의 특질이 존중되고 있지 않다.

여성이 남성의 일을 맡게 되면 여성의 자질까지도 파괴된다. 여성은 자신의 고유역할을 맡기 위해서 그 자질을 태어나면서부터 갖추고 있다. 남성의 일은 여성의 아름다움을 파괴한다. 여성의 아름다움은 본래 여성 고유의 역할을 하기 위해 필요한 것이다. 그 의미에서 여성의 아름다움은 꽃에 비유할 수가 있다. 꽃은 꽃가루를 끌어들이고 열매를 맺는 데 필요하다. 만약 꽃을 제거하면 식물의 생명도 끝나게 되는 것이다. 자연이 정한 궁극적 목표에 도달하기 위한 필요조건으로서 나비와 새와 그 외 모든 동물의 암컷은 아름다운 자태를 선천적으로 갖추는 것이다. 여성이 남성의 일을 하는 것은 여성에게 고유한 역할도 그 기질인 아름다움도 잃게 되고 남성으로 변하게 되는 것이다. 남성으로 변하고 여성의 자질을 상실하는 것이 강제되지 않고 자신의 본래 모습대로 살아갈 권리가 충분히 보장되어야만 한다.

본래 남녀는 육체구조 상 서로 다르고 내면적 및 외면적으로도 당연히 다르다. 여성은 섬세하고 아름다우며 또한 잘 울고 잘 놀란다. 일반적으로 여성은 얌전하며 남성은 씩씩하다.

이러한 남녀 간의 선천적인 차이를 무시하고 양자의 고유한 역할을 혼동하는 것은 야만적인 태도이다. 그뿐 아니라 자연의 법칙을 위반하는 것이며 인간의 생명을 파괴하는 것이다. 그러므로 이러한 행위야말로 인류의 사회적 생활에 있어서 참으로 위기이다.

근대공업사회는 남성의 일을 여성에게 맡기게 되었다. 그런데 이것에 의해 여성은 아름다움, 상냥함, 모성 등 여성의 고유한 자질과 자신의 역할을 빼앗기지 않을 수 없었다. 이러한 사태를 초래한 사회는 문화적 사회가 아니다. 그것은 물질주의의 독소에 물든 야만적인 사회이다. 이러한 사회를 모델로 하는 것은 어리석은 짓일 뿐만 아니라 문명적 위기마저 초래하는 것이다.

그렇다고 해서 여성이 일할 것인가 안 할 것인가 문제 삼는 것은 그 자체가 물질주의의 독소에 빠진 태도이다. 사회는 모든 유능한 사람들에게 일을 부여해야 하며 일에 적합한 능력과 필요조건을 갖추고 있는 사람에게만 부여해야 한다. 부적합한 일을 강제하는 것이 아니라 적재적소의 일을 맡겨야 한다.

어린아이가 성인의 노동조건 하에 방치되는 것은 부당하고 독재적이다. 이처럼 여성이 남성의 노동조건 하에 방치되는 것도 똑같다.

자유란 모든 사람이 자신에게 적합한 일을 할 수 있는 지식을 갖기 위해 교육 받을 기회를 의미하며 독재란 자신에게 부적절한 일을 배우는 것을 의미한다. 그것은 자신에게 적합하지 않은 일을 하도록 이끄는 것이다. 남성에게 적합한 일이 여성에게 항상 적합하지는 않으며 어린아이에게 적합한 지식이 성인에게 적합하지는 않다.

인권에서는 남성과 여성 그리고 성인과 아동 모두 평등하다. 그러나 그것은 각자의 역할이 똑같지 않으면 안 된다고 하는 것은 아니다.

소수민족

소수민족이란 무엇인가? 그것에 대한 찬반양론은 어떠한 것인가? 제3보편이론이 제기하는 인류적 여러 문제의 해결과 마찰을 일으키지 않고 소수민족 문제는 어떻게 해결되어야 하는가?

소수민족에는 2개의 유형밖에 없다. 하나는, 어느 민족에 속해서 사회 구조적으로는 그 민족의 일부분을 구성하는 것이다. 또 하나는 민족적 귀속성을 갖지 않고 독자의 사회구조를 유지하는 것이다. 귀속의식과 운명의 공동성에 의해서 장차 민족 형성을 가능케 할 수 있는 역사적 축적을 하는 것은 후자의 경우이다.

소수민족에도 독자적인 사회적 권리가 있다는 것은 명백하다. 다수자가 그 권리를 침해하는 것은 부당한 행위이다. 사회적 특성이란 것은 독자적이며, 주는 것도 빼앗는 것도 불가능하다. 소수민족의 정치적 및 경제적 문제는 본래 대중이 권력, 부, 무기를 장악하는 주체적인 대중의 사회가 되어야 비로소 해결되는 것이다. 소수민족을 정치적 및 경제적 소수자로 취급하는 것은 독재적이며 부당하다.

흑인이 세계를 지도할 것이다

노예제의 최후의 시대는 백인이 흑인을 노예로 부린 시대이다. 흑인은 자신의 명예가 회복될 때까지는 이 역사를 잊지 않을 것이다.

이 비극적인 역사적 사실에 대한 기억과 그것에 수반되는 비통한 심경, 혹은 모든 흑인의 명예를 회복해서 만족을 얻고 싶다는 심리가 보복과 정복을 지향하는 흑인 운동에 있어서 무시하기 어려운 동기이다. 그 외에 역사와 사회에는 순환성이 있어서 먼저 황인종이 아시아로부터 다른 대륙에 진출해서 세계를 정복하고 다음에는 백인이 세계의 전 대륙에 걸치는 식민 지배를 전개했다. 따라서 이번에는 흑인이 선두에 설 때가 올 것이다.

흑인은 현재 후진적인 사회적 상황에 있지만, 이 후진성은 흑인이 숫자상에 있어서 우위에 있어서 유리한 조건이다. 왜냐하면 비흑인은 산아제한과 미혼자의 증대와 과중한 노동으로 인해 인구가 감소하고 있지만 흑인은 그 낮은 생활 수준 때문에 산아제한과 가족계획에 대해서 알지 못한다. 또한 열대의 기후 아래에서 항상 일할 수는 없다는 점과 뒤떨어진 사회적 관습이 하나의 원인이 되어 무제한의 결혼에 의한 끊임없는 인구 증가가 가능하기 때문이다.

교육

학문을 하거나 지식을 습득한다고 할 경우, 일정 시간 책상에 앉아 체계적인 특정의 주제를 교과서에 의해서 의무적으로 학습한다는 성격의 것일 필요는 없다. 오늘날에는 이러한 교육이 세계에 정착되었지만, 그것은 인간의 자유를 등지는 것이다. 모든 나라가 의무교육이 얼마나 보급되어 있는지를 자랑하고 있다. 그러나 의무교육은 자유를 억압하는 수단에 지나지 않는다. 그것은 인간에게 하나의 선택만을 강제하는 것이며 인간의 재능을 강제적으로 말살하는 것이다. 그것은 인간으로부터 자유스러운 선택, 창조성, 재능을 박탈하는 것이기 때문에 자유를 말살하는 독재행위이다. 학생들에게 정형화된 교과과정을 배우도록 의무를 맡기는 국가는 국민에 대해서 강제력을 행사하고 있다. 인간 정신을 편집광적인 수업에서 해방하며 인간의 취미, 이해력, 지향성을 자의적으로 정형화시키는 교육으로부터 해방하기 위해서 세계적인 문화혁명을 통하여 세계의 교육제도를 폐지해야 한다.

그렇다고 해서 경솔한 독자가 생각하듯 학교를 폐쇄하거나 교육을 거부해야 한다는 것은 아니다. 오히려 사회가 모든 종류의 교육을 준비해서 사람들이 희망하는 학습 과제를 자유롭게 선택하는 기회를 제공하는 것이 요청된다는 것이다. 이를 위해서는 모든 종류의 교육을 위한 충분한 정도의 학교가 필요하다. 학교 수가 불충분하면 수강할 수 있는 과목이 한정되어 인간이 선택하는 자유는 제한된다. 이는 인간이 선택하는 권리가 박탈된다는 것을 의미한다. 지식을 억압하고 독점하는 사회는 의도적으로 무지를 조장하고 자유에 적대하는 반동적인 사회이다. 따라서 종교에 대해서 배우는 것을 금지하고 있는 사회는 반동적인 사회이며 그것은 무지를 조장하고 자유에 적대하는 사회이다. 아는 것은 모든 인간에게 고유한 권리이며 본인이 포기하지 않는 한, 어떠한 이유에 의해서도 타인이 이것을 박탈할 수는 없다.

고로 사람들이 가장 적절한 방식으로 모든 것에 대한 지식을 접하는 것이 가능하다면 무지는 사라지게 될 것이다.

음악과 예술

인류는 공통된 언어로 말할 수 없어서 아직은 후진성을 면치 못하고 있다.

실현 가능 여부를 떠나 인류가 공통어를 가질 때까지는 기쁨, 슬픔, 선과 악, 아름다움과 추함, 만족과 비참, 죽은 운명의 생명과 불멸성, 애정과 증오를 각 개인이 일상적으로 사용하는 언어에 의해서 표현할 수밖에 없다. 인간의 행동은 그 말 자체가 말하는 사람의 마음속에서 일어나는 감정에 의해 야기되는 반응이다. 따라서 한 사람의 말을 이해하는 것만으로는 충분한 해결이 되지 않는다.

세대로부터 세대로 계승되는 전통이 시간의 경과에 따라서 점차 상실된다면 시간과 세대를 거듭하면서 언어의 통일이 실현되고 언어와 감정과 행동의 문제도 해결될 것이다. 조부와 부친의 감정, 취미, 성벽 등은 아들과 손자에게 유전된다. 그러나 만약 조부가 여러 언어를 말하고 손자가 하나의 언어만을 쓴다면 손자는 조부와 공통의 기호를 가질 수 없다. 새로운 하나의 언어가 세대를 통해 취미와 성벽을 형성하게 된다면 그때야 비로소 공통의 기호가 생기는 것이다.

가령 어느 집단이 상복으로서 하얀 옷을 입지만 다른 집단은 검은 옷을 입는다고 하자. 각 집단의 감정은 양자의 색에 대해서 대조적인 반응을 보일 것이다. 즉 한쪽은 흑색을 싫어하지만, 다른 쪽은 그것을 좋아하는 것이다. 집단의 감정은 신체의 세포와 유전자에 생리적인 영향을 준다. 이러한 영향은 유전된다. 전수한 자가 전하는 자의 감정을 계승한 결과, 전하는 자가 싫어하는 색을 역시 싫어하는 것이다. 이 결과, 사람들은 자신들의 예술과 전통적 유산에만 만족을 느낀다. 공통의 언어를 말하는 상대방이어도 계승하는 경험이 다르면 유전자의 차이에 의해 상대방의 예술에 위화감을 느끼는 것이다.

이러한 차이는 소규모의 것이라 할지라도 국민 내부의 집단 상호 간에도 인정된다.

공통의 언어를 학습하는 것은 어려운 것은 아니다. 타인의 언어를 학습해서 그 예술을 이해하는 것도 어려운 것은 아니다. 어려운 것은 타인의 언어에 직감적으로 반응하는 것이다.

이것은 인체 유전자의 영향력을 말소하지 않는 한 불가능할 것이다.

학습한 것이 아니라 계승된 공통의 언어로 인류가 아직 서로 대화하고 있지 못하다는 점에서 인류는 아직 후진적이다. 그러나 인류가 공통어를 획득한다는 목표에 도달하는 것은 문명이 퇴보하지 않는다면 시간문제이다.

스포츠 · 승마 · 공연

스포츠는 폐쇄된 독방에서 단독으로 행하는 예배와 같이 개인적인 것이 있고, 사원에서의 집단예배와 같이 광장에서 집단으로 행하는 공공적인 성격을 갖는 것도 있다. 전자는 개인에게 중점이 두어지나 후자는 사람들 전체에 중점이 두어진다. 스포츠는 누구나 다 같이 즐겨야 할 것이지, 누가 대표해서 전문적으로 행하는 것이어서는 안 된다. 대중 자신이 예배에 참여하지 않고 단지 개인과 집단이 예배하는 것을 구경하기 위해서 사원에 들어가는 것은 불합리한 행동이다. 자신은 경기에 참여하지 않고, 단지 타인이 경기하는 것을 구경하기 위해서 경기장에 가는 것도 역시 불합리한 행동이다.

스포츠는 예배, 식사, 더위와 추위를 느끼는 것과 똑같다. 타인이 식사하는 것을 구경하기 위해서 음식점에 들어가는 것은 어리석은 행동이다. 또한 개인과 어느 집단이 스포츠를 독점하고 대중이 이 독점행위에 드는 비용을 부담한다는 것도 불합리하다. 마찬가지로 개인, 혹은 정당, 계급, 종파, 종족, 의회 등의 집단이 대중을 대신해서 대중의 운명을 결정하고, 대중의 필요를 제멋대로 정의하는 것에 대해서 대중이 묵종(默從)한다면, 그것은 민주주의로부터의 이탈이다.

개인적인 스포츠는 자신의 비용으로 자신을 위해 운동하는 경우에만 의의가 있다. 공공의 스포츠는 누구나 다 필요로 하는 것이다. 몸을 움직인다는 점과 민주주의의 원칙으로부터 보아도 다른 사람들을 대신해서 행해질 수 있는 성질의 것이 아니다. 대리인이 스포츠에 의해서 자기 육체와 정신을 훌륭하게 육성했다 하여도 그 성과를 타인에게 전해주는 것은 불가능하다. 또한, 민주주의의 원칙으로부터 볼 때 누구도 어떠한 집단도 스포츠, 권력, 부, 무기를 독점할 권리는 없다. 현대세계의 전통적 스포츠에서는 스포츠 단체가 스포츠 예산과 공공시설을 장악하고 있다. 이는 여느 나라에서도 마찬가지이다. 이것은 사회의 독점적 기관에 지나지 않고, 권력을 독점하는 독점적 정치기관, 부를 독점하는 경제기관, 무력을 독점하는 군사조직 등과 성격에 있어서 완전히 똑같다. 대중의 시대는 권력과 부와 무기를 독점하는 기관을 폐지하는 것이기 때문에, 스포츠와 승마 등의 사회활동의 독점기관도 또한 필연적으로 폐지된다. 대표자에게 자신들 운명의 결정권을 맡기기 위해 한 표를 던지려고 줄을 서는 대중은 대표자가 대중을 대변해서 대중의 명예, 주권, 의지를 대신할 수 있다는 있을 수 없는 전제에 서서 행동하고 있다. 자신들의 의지와 명예를 박탈당한 대중은 방관자가 되어 스스로 해야 할 것이 타인에 의해 대행되는 것을 단지 바라보고 있을 따름이다.

어리석게도 스포츠를 타인에게 맡기는 대중도 역시 똑같다. 독점기관은 대중의 정신을 마비시키고 스포츠를 대중 자신이 직접 행하는 대신에 단지 웃고 큰소리로 환호성을 지르도록 대중을 우롱하는 것이다. 사회활동으로서의 스포츠는 권력과 부와 무기와 똑같이 대중의 것이 되지 않으면 안 된다.

공공 스포츠는 대중 전체의 것이다. 그것은 건강과 레크리에이션을 촉진하기 위해 전 국민이 갖는 권리이다. 대중이 스포츠의 효용을 단지 스포츠 전문가와 전문적인 경기집단에 양도하고 공공 스포츠시설을 그들에게 제공하여 그 비용을 부담하는 것은 어리석은 것이다. 관전만 하고 환성을 지르고 떠들고 웃기 위해 경기장을 메우는 수천의 군중은 정작 자신은 경기에 참여하지 못하도록 방해받고 있다. 그들은 경기장을 둘러싼 스탠드를 메우고 있지만 실은 무기력한 것이다. 그들로부터 주도권을 빼앗아 가 그라운드를 독점하고 스포츠와 그 시설을 빼앗아 간 영웅들에게 갈채를 보내고 있기 때문이다. 공공의 대경기장은 대중을 그라운드로부터 격리해 대중이 경기장에 접근하지 않도록 설계된 것이다. 대중이 경기장의 중앙부와 광장을 행진하고 거기에서 운동한다면 관람석은 텅 비게 되고 철거되고 말 것이다. 대중이 스포츠는 공공 활동이며 보는 것보다는 행하는 것이어야만 한다고 느끼게 될 때 그러한 사태가 일어날 것이다. 관전만 하는 사람들은 육체를 자유로이 움직일 수 없는 사람과 소수에 지나지 않는 스포츠에 무관심한 사람들로써 현재와는 정반대의 사태가 합리적이다. 대경기장의 스탠드를 메우는 사람이 없다면 스탠드는 사라질 것이다. 인생에서 영웅의 임무를 수행할 수 없는 사람과, 역사적 사건에 대해서 무지한 사람과 미래를 꿈꿀 수 없는 사람과 자신들의 인생에 있어서 진지하지 못한 사람과 혹은 극장이나 영화관에 앉아서 인생의 드라마를 감상하는 것 외엔 자신의 장래를 생각할 수 없는 사람들은 교양도 없고 교육도 받지 않은 사람이며 단순히 교실의 책상을 차지하고 있을 뿐인 학생과 같다.

인생의 항로를 스스로 결정하는 사람은 배우가 무대와 스크린에서 연출하는 인생을 볼 필요가 없다. 스스로 말고삐를 쥐고 있는 기수는 경기장 주변의 스탠드에 앉을 필요가 없다. 관전하는 사람들은 이런 종류의 스포츠를 하기에는 너무나 무기력하므로 말을 타고 있지 않은 사람들이다.

유목민이 극장과 공연에 아무런 흥미도 보이지 않는 것은 그들이 인생에 있어서 대단히 진지하고 또한 열심히 일하고 있기 때문이다. 그들은 진지한 인생을 살기 때문에 연극을 비웃는다. 유목민사회는 연기자들을 보는 게 아니라, 자신들이 게임하고 스포츠에 즐거이 참가한다. 그들은 그러한 활동의 필요를 알고 스스로 참가하는 것을 당연하다고 생각하는 것이다.

권투와 레슬링에는 여러 가지 유형이 있으나 그것은 인류가 잔혹 행위를 아직 폐지하지 못하고 있다는 것을 보여준다. 인간의 문명이 발달할수록 이러한 잔혹 행위는 필연적으로 사라지게 될 것이다. 인간을 희생양으로 바치고 권총으로 결투하는 것은 인류의 진화 과정에서 자주 나타나는 행위였지만 그러한 행위는 이젠 행해지지 않는다. 오늘날, 인류는 이러한 행위의 어리석음을 깨닫고 뉘우치고 있다. 몇십 년 혹은 몇백 년 후에는 권투와 레슬링도 똑같은 운명을 밟을 것이다. 앞으로 인류는 더욱 고도의 문명을 누릴 것이다. 이에 따라 그러한 야만적 행위를 할 수도 없을 것이며 또한 다른 사람이 그것을 하도록 부추기지도 않게 될 것이다.

연보

1942년

유목민인 베르베르족 일파 카다파(Qadhadhfa)족 출신으로 리비아 시르테에서 출생

1963년

리비아 벵가지 소재 리비아대학교 졸업

1965년

리비아 육군사관학교 졸업 및 육군 소위 임관

1969년

대위 재임 중 이드리스 1세가 신병 치료 차 수도 트리폴리를 비우자 9월 혁명을 일으켜 집권 및 리비아 혁명평의회 의장 취임

1970년

리비아 총리 취임

1974년

녹색서(The Green Book) 발간

1977년

인민주권확립선언 공포 및 리비아 전인민의회 서기 취임

1978년

대한민국과 수교

1983년

리비아 대수로 건설에 동아건설이 참여하게 되자 대한민국에서 범국민적인 관심을 받음

2003년

대량살상무기 자진 폐기

2004년

미국과의 외교 관계 복원

2009년

아프리카연합 의장 취임

2011년

고향 시르테에서 반군과 교전 중 사망

녹색서 (The Green Book)

발행 2024년 06월 25일

지은이 무아마르 알 카다피
옮긴이 편집부
발행처 모래알 유한책임회사
출판등록 2019.07.03. (제386-2019-000048호)
발행인 김시연
주소 경기도 부천시 원미구 조마루로 134, 1106동 204호
이메일 MORAEAL20@gmail.com
홈페이지 www.morae-al.kr
ISBN 979-11-981682-8-3 (03130)

© 2024 모래알, All rights reserved.

값 15,000원

이 책의 전부 또는 일부 내용을 재사용하려면 반드시 출판권자인 모래알 유한책임회사의 동의를 받아야 합니다.